Ce livre,
publié dans la collection
ROMANICHELS
dirigée par
André Vanasse,
a été placé
sous la supervision éditoriale de
Josée Bonneville.

Du même auteur

Patrick Savidan et Patrice Martin, *La culture de la dette*, Montréal, Boréal, 1994.

Le chapeau de Kafka

Catalogage avant publication de Bibliothèque et Archives nationales du Québec et Bibliothèque et Archives Canada

Martin, Patrice, 1963-

    Le chapeau de Kafka : roman

    (Romanichels)

    ISBN 978-2-89261-544-9

    I. Titre. II. Collection.

PS8626.A772C42 2008   C843'.6   C2008-942242-2
PS9626.A772C42 2008

La publication de cet ouvrage a été rendue possible grâce à l'aide financière du ministère du Patrimoine canadien par l'entremise du Programme d'aide au développement de l'industrie de l'édition (PADIÉ), du Conseil des Arts du Canada (CAC) et du ministère de la Culture et des Communications du Québec (MCCQ) par l'entremise de la Société de développement des entreprises culturelles (SODEC).

© 2008
XYZ éditeur
1781, rue Saint-Hubert
Montréal (Québec)
H2L 3Z1
Téléphone : 514.525.21.70
Télécopieur : 514.525.75.37
Courriel : info@xyzedit.qc.ca
Site Internet : www.xyzedit.qc.ca

et

Patrice Martin

Dépôt légal : 4ᵉ trimestre 2008
Bibliothèque et Archives Canada
Bibliothèque et Archives nationales du Québec
ISBN 978-2-89261-544-9

Distribution en librairie :

Au Canada :
Dimedia inc.
539, boulevard Lebeau
Ville Saint-Laurent (Québec)
H4N 1S2
Téléphone : 514.336.39.41
Télécopieur : 514.331.39.16
Courriel : general@dimedia.qc.ca

En Europe :
DNM — Distribution du Nouveau Monde
30, rue Gay-Lussac
75005 Paris, France
Téléphone : 01.43.54.49.02
Télécopieur : 01.43.54.39.15
www.librairieduquebec.fr

Droits internationaux : André Vanasse, 514.525.21.70, poste 25
                       andre.vanasse@xyzedit.qc.ca

Conception typographique et montage : Édiscript enr.
Maquette de la couverture : Zirval Design
Illustration de la couverture : Katleen Allen, sans titre, 2008
Illustrations des pages de garde : Jonathan Crevier, sans titre, 2008

Patrice Martin

Le chapeau
de Kafka

roman

XYZ
éditeur

Romanichels

En lisant Kafka, je ne puis faire autrement que de vérifier ou de repousser la légitimité de l'adjectif « kafkaïen » qu'on entend à tout instant employé à tort et à travers.

ITALO CALVINO

Deux idées — à vrai dire, deux obsessions — dominent l'œuvre de Kafka : la subordination et l'infini.

JORGE LUIS BORGES

Je pense souvent à Kafka... il représente quelque chose que je porte en moi.

PAUL AUSTER

Chapitre 1

Il est précisément 8 h 7 lorsque le patron convoque P. à son bureau. P., qui n'a jamais rencontré M. Hatfield, se demande ce qu'il peut bien lui vouloir. Il faut dire que la secrétaire du patron a été on ne peut plus directe : « Le patron désire vous voir immédiatement. » Impossible donc de deviner, à partir du ton ou du propos de cet ordre lapidaire, s'il s'agit d'une bonne ou d'une mauvaise chose. L'utilisation du verbe « désirer » laisse certes présager une rencontre amicale, mais l'adverbe « immédiatement », quant à lui, suggère une certaine impatience. Il est de ces phrases, se dit simplement P., qui ne disent rien de plus que ce qu'elles disent. Ainsi, après avoir tracé une petite ligne au bas de la page du document dont il vérifie présentement l'exactitude, dans la marge de gauche, P. dépose son crayon à mine, ajuste sa cravate, époussette les pellicules parsemées çà et là sur ses épaules et prend la direction du bureau du patron d'un pas preste.

La secrétaire lui ouvre la porte et invite P. à passer devant elle. Debout, les mains derrière le dos, tel un homme qui contemple son empire, le patron regarde par la fenêtre. À peine quelques secondes s'écoulent entre le moment où la secrétaire referme la porte derrière elle et celui où le patron s'adresse à P. De toute évidence, le patron n'est pas homme à perdre son temps et à faire perdre celui de ses employés avec des phrases du genre : « Heureux de faire votre connaissance. » Sans se retourner ni même prendre la peine de constater la présence de son employé dans la pièce, le patron expose la situation en quelques phrases succinctes et demande à P. s'il se sent prêt à relever le défi. Ce dernier acquiesçant sans hésitation aucune, le patron s'empare d'une cassette de bois, l'ouvre avec minutie et en sort une petite enveloppe. Se retournant vers P., qu'il regarde dans les yeux pour la première fois, il s'avance vers le jeune homme et lui remet un tout petit ticket.

Quelle est la nature de cette tâche si cavalièrement confiée à un employé qu'il ne connaît ni d'Ève ni d'Adam ? Tout simplement ceci : P. doit aller quérir un chapeau récemment acquis par le patron lors d'une vente aux enchères.

— Il s'agit d'un objet unique en son genre, lui dit le patron, et c'est parce que j'ai pleinement confiance en vous que je vous confie cette délicate mission.

Il s'agit, au dire de M. Hatfield, du chapeau d'un écrivain, mort depuis longtemps, mais dont les romans ont « marqué l'adolescence » de l'homme aujourd'hui à la tête d'une importante société new-yorkaise. P. lui répond que son chapeau est entre bonnes mains et, comme pour lui démontrer sa compétence en la matière, il prend son propre chapeau, le pose avec soin sur sa tête, salue le patron avec déférence et part à la recherche du précieux couvre-chef.

Une fois à l'extérieur, P. hèle un taxi. Après avoir échangé avec le chauffeur quelques phrases d'usage au sujet de la pluie et du beau temps, des embouteillages chroniques et de la saison touristique new-yorkaise, P. s'installe confortablement et regarde défiler les gens et les édifices. Il travaille pour la Stuff and Things Company depuis quelques semaines seulement et cette « mission » se veut un gage de confiance étonnant de la part d'un employeur qui, dit-on, ne parle jamais aux nouveaux venus. Embauché à peine un mois plus tôt, P. a non seulement eu un entretien privé avec le patron, mais celui-ci s'est confié à lui! Il lui a parlé de littérature et de son adolescence!

P. pense aux vilaines langues qui, jour après jour, parlent en mal du patron. Que les gens sont jaloux! se dit-il. Contrairement aux billevesées que l'on peut entendre à son sujet lors de la pause-café matinale, le patron lui a paru tout à fait correct, un gentleman. Il se sent tout à coup honteux d'avoir pris part à ces petites séances de médisance et, comme pour chasser d'embarrassants souvenirs de son esprit, il soupire profondément, croise les jambes et regarde droit devant lui.

Lorsque P. aperçoit les immenses grues mécaniques du port, il abandonne définitivement ses ridicules pensées culpabilisantes. À son grand désarroi, il ne se souvient plus du nom de l'auteur en question. Tout ce dont il se rappelle, c'est qu'il s'agit d'un nom court commençant par la lettre *K* et finissant en *a*. Ce nom, étrangement, lui a rappelé, sur le coup, un mets libanais ou grec. Il essaie donc, à partir du seul mets qui lui vient à l'esprit, de refaire le processus d'identification à l'envers. Il prend son calepin (ce même calepin qu'il aurait dû sortir de sa poche au moment où le patron prononçait le nom de ce pauvre romancier mort nu-tête!) et commence à écrire des variations de spanakopita: Kapsakapita; Kasnanopika; Kanospikata; Kaskonapita; Kapkasapita; Kassipapikata. Il trouve tous ces noms trop longs.

P. décide donc de rayer les syllabes du milieu. La nouvelle liste devient: Kapita; Kaska; Kanta; Kasta; Kapta et Kasta. Il note alors deux choses: premièrement, aucun de ces noms ne lui rappelle celui de l'écrivain au chapeau. Deuxièmement, « Kasta » revient à deux reprises. P. déclare cette statistique porteuse d'espoir et écrit, en haut d'une

nouvelle page, le mot : Kasta. Ainsi, des noms qui, sur le
plan de la mathématique la plus élémentaire, ont peu de
chances de le conduire au patronyme voulu, n'encom-
breront pas son esprit. Car P. n'aime pas que son esprit soit
encombré par des idées superflues. Élevé dans la plus pure
tradition protestante d'une petite ville du Midwest, il voit
le désordre comme la mère de tous les vices, de tous les
arguments spécieux, de toutes les conclusions fallacieuses.
Il n'y a ainsi qu'une façon d'arriver à la vérité, soit en enle-
vant, une à une, de façon méthodique, toutes les faussetés
qui jonchent le chemin menant à la Raison.

Alors qu'il réfléchit aux variations possibles de Kasta,
le taxi arrive à destination. P. paie le chauffeur, sort du véhicule et se dirige vers l'édifice. Du trottoir, il lui est non
seulement impossible de déterminer le nombre d'étages de
cette tour grise et plutôt monolithique, mais il ne peut
même pas distinguer les étages entre eux. La ligne verticale
semble en effet ininterrompue et le gratte-ciel crée une
étrange impression, similaire à celle que font naître l'observation d'un ciel étoilé et la contemplation d'un feu de
foyer. Pendant une fraction de seconde, P. se sent minuscule face à ce monument pyramidal, érigé à la gloire de
l'administration des choses de l'État.

Il se dégage de cette structure concrète et finie quelque
chose d'indéfinissable, d'impalpable, voire de contradic-
toire. Comme si elle était à la fois limitée et illimitée, finie
et infinie. P. se ressaisit et pénètre à l'intérieur du gratte-
ciel. Dans le hall d'entrée, il aperçoit un énorme tableau et
conclut qu'il s'agit du répertoire des sociétés ayant pied-
à-terre dans l'édifice. Il sort de sa poche le ticket que lui a
remis le patron et trouve sans difficulté la division de
l'Agence des douanes en question : pièce 1934.

Ce chiffre lui fait penser à l'année 1934. Alors qu'il se
dirige vers les ascenseurs, il se demande ce qui a été

marquant cette année-là. Spontanément, l'arrivée d'Hitler comme chancelier du Reich en 1933 et la fin de la Longue Marche de Mao en 1935 lui viennent à l'esprit. Mais pour 1934, rien.

— Il doit bien s'être passé quelque chose, murmure-t-il.

Quatre ascenseurs l'attendent au centre de l'édifice. Comme il s'agit d'une tour de quarante étages, deux des ascenseurs font tous les étages jusqu'au vingtième, alors que les deux autres filent du rez-de-chaussée directement jusqu'au vingtième étage et, de là, desservent les étages supérieurs. Notre homme n'en croit pas sa chance. Puisqu'il doit se rendre au dix-neuvième étage, il lui est possible d'emprunter l'un ou l'autre de ces ascenseurs. Il peut soit aller directement au vingtième étage et redescendre un étage à pied, soit courir la chance d'arrêter un maximum de dix-sept fois avant d'arriver à destination. Bien que les portes d'un des ascenseurs « 1 à 20 » soient les premières à s'ouvrir devant lui, P. décide d'attendre un ascenseur dit « express » qui le portera directement au vingtième étage.

P. ne peut résister à la tentation d'observer, grâce au cadran situé au-dessus des portes fermées, le parcours de l'ascenseur qu'il a laissé filer. Il laisse échapper un soupir à peine perceptible lorsqu'il voit que ce dernier s'arrête brièvement au douzième et, à la suite d'une pause de quelques secondes à peine au dix-huitième étage, revient à son point de départ. « Je serais déjà arrivé à destination si j'avais opté pour cet ascenseur, » se dit-il. Pendant ce temps, les ascenseurs « express » font moult arrêts entre les quarantième et vingtième étages et ne semblent guère enclins à revenir au rez-de-chaussée. Le troisième ascenseur n'a toujours pas bougé et demeure figé au troisième étage.

Finalement, l'ascenseur qu'il a laissé partir lège est le premier à revenir au bercail. Y a-t-il une façon de calculer la probabilité que le même ascenseur soit, à deux reprises, le plus rapide des quatre? Voilà la question que se pose P. cependant que les ascenseurs vont d'étage en étage, au gré d'une séquence dont P. ne peut deviner la logique. Évidemment, le facteur « humain » rend toute affaire plus difficile à appréhender. Les humains étant, majoritairement, imprévisibles et les ascenseurs étant, majoritairement, utilisés par des humains, il est à toute fin pratique impossible de prévoir le comportement des ascenseurs. Pour P., il s'agit là non seulement d'un syllogisme irréfutable mais bien de l'axiome quintessenciel de la saine gestion. Ses années passées à gérer, coordonner, accompagner, encadrer les gens lui ont permis à maintes occasions de valider cette hypothèse. Mais comme les portes vont se refermer, il coupe court à cette réflexion et, sans même attendre d'avoir complètement pesé le pour et le contre d'un tel geste, saute à bord de l'ascenseur d'un bond. Il appuie sur « 19 ».

Lorsque, plus tard dans la journée, P. aura l'occasion de revenir sur la série d'événements qui l'auront conduit, en l'espace de quelques heures, du confort de son bureau new-yorkais aux autoroutes bondées de la Nouvelle-Angleterre, il pointera du doigt ce premier geste irrationnel ou, à tout le moins, « irréfléchi ». Il se dira, alors qu'il commencera à somnoler en regardant défiler les arbres bordant la route : « Si j'avais réfléchi avant de sauter dans cet ascenseur, je ne serais pas ici. » Mais n'anticipons pas : P. appuie sur « 19 ».

Au troisième étage, là même où le troisième ascenseur semble coincé, son ascenseur s'immobilise. Présumant que des employés monteront à bord, P. se range un peu sur le côté et regarde ses pieds. Quelques secondes plus tard, ses yeux fixent encore le sol. Les portes de l'ascenseur ne se sont pas ouvertes. Il attend encore un peu. Il tousse deux fois. Après quelques instants de plus à patienter, P. décide d'appuyer sur le bouton devant ouvrir les portes. Rien. Il regarde le bouton de nouveau et lit à haute voix : « *open* ». Il appuie une seconde fois. Toujours rien.

P. se dit : À quoi peut bien servir ce bouton s'il ne permet pas d'ouvrir les portes ? Il s'approche ensuite du panneau de l'ascenseur et étudie les autres possibilités. Outre l'option la plus évidente, soit celle de frapper sur les portes de l'ascenseur et de crier à l'aide, il peut soit appuyer sur le bouton « urgence », soit utiliser le téléphone rouge. Or son éducation, tout autant que son expérience en milieu de travail, lui ont appris à privilégier le dialogue et à n'opter qu'en dernière instance pour des solutions purement mécaniques.

P. choisit donc l'option de la négociation et s'empare du combiné, qu'il porte à son oreille. Il attend quelques longues minutes avant qu'une voix nasillarde réponde. La personne s'identifie, mais si rapidement que P. n'y comprend rien. À vrai dire il croit avoir compris quelque chose mais, à l'évidence, la femme ne peut avoir dit : « Le modem et le gruau de Syrie du censeur avec du lait. » Il dit alors :

— Allô ?

— Oui ?

— Bonjour, madame. Je suis coincé dans un ascenseur.

— Le modèle et le numéro de série de l'ascenseur s'il vous plaît.

— Pardon ?

— Le modèle et le numéro de série de l'ascenseur s'il vous plaît.

— Je ne les connais pas, madame.

— Sans ces numéros, je ne peux pas ouvrir un dossier.

— Bon, d'accord. Comment puis-je trouver ce numéro ?

— Je n'en ai aucune idée, monsieur.

— Vous n'en avez aucune idée ?

— Je n'en ai aucune idée, monsieur.

— Mais vous ne pouvez pas vous attendre à ce que tous les gens qui utilisent vos ascenseurs soient en mesure de trouver un numéro de série sans aide de votre part !

— Ce ne sont pas « nos » ascenseurs, monsieur. Nous en assurons l'entretien. Ils ne nous appartiennent pas. Si vous avez des questions au sujet de notre agence, je serai heureuse d'acheminer votre appel au bureau du vice-président afin qu'il vous explique la nature de…

— D'accord, d'accord, un instant. Je vais ouvrir ce panneau et voir s'il ne serait pas écrit à l'intérieur.

P. s'apprête à ouvrir la petite porte, mais au moment même où il tend le bras, il lit l'avertissement suivant : *N'ouvrir qu'en cas d'urgence.* S'agit-il vraiment d'un cas d'urgence ? Peut-il faire autre chose ou attendre plus longtemps ? S'agit-il du dernier recours ? P. recule d'un pas, comme si la distance qu'il met ainsi entre le panneau et sa personne lui permettait d'avoir un véritable recul par rapport à sa situation. Après quelques secondes d'hésitation, il s'approche de nouveau de la petite porte et tente de l'ouvrir. Elle résiste. Étonné, il tire un peu plus fort. Rien. Il se penche vers l'avant pour examiner la chose de plus près. Il remarque alors une minuscule serrure à la gauche de la poignée. P. saisit le combiné.

— Oui, madame ?

— Oui ?

— Je n'ai pas pu ouvrir la petite porte.

— Le modèle et numéro de série de l'ascenseur s'il vous plaît.

— C'est ce que je vous dis, je n'ai pu l'obtenir, car le panneau est verrouillé.

— Si vous n'avez pas ces numéros, je ne peux rien faire pour vous. Merci d'avoir appelé Up and Down Elevators Inc.

— Un instant, je suis coincé dans un de vos ascenseurs ! Vous ne pouvez tout de même pas m'abandonner !

— Sans les numéros de modèle et de série, je ne peux rien faire pour vous, je ne sais même pas depuis quelle ville vous appelez.

— Je suis à New York.

— Je veux bien vous croire, monsieur, mais qu'est-ce qui me dit que vous n'êtes pas à Chicago, à Miami, voire à Montréal ?

— Mais pourquoi mentirais-je à ce sujet ? Je vous dis que je suis enfermé dans un de vos ascenseurs. Je suis à New York, dans l'édifice Old Port. Je ne vois pas pourquoi il vous faut un numéro de série...

— ... et le numéro du modèle.

— ... et le numéro du modèle avant d'envoyer des secouristes.

— Nous n'envoyons pas de secouristes.

— Vous n'envoyez pas de secouristes ?

— Non.

— Mais alors, que faites-vous ?

— Personnellement, je remplis le formulaire P-3287-S. Une fois terminé, je le remets à mon superviseur qui doit l'approuver au plus tard six heures après l'appel. Si, à son avis, l'information n'est pas complète ou paraît suspecte, il peut appeler le client afin de compléter le formulaire. Une fois le superviseur satisfait, il communique avec les forces de l'ordre. Les policiers déterminent le degré d'urgence de la requête et, s'il y a lieu, ils envoient des secouristes.

— S'il y a lieu ?

— S'il y a lieu.

P. pousse un long soupir et, ce faisant, lève les yeux vers la partie supérieure de l'ascenseur où il peut lire sans difficulté l'information suivante, rédigée en caractères énormes : MODÈLE : A-4373 ; NUMÉRO DE SÉRIE :

3785938496-FD. Il s'empare alors du combiné avec enthou-
siasme.

— Madame?

— Le modèle et numéro de série de l'ascenseur s'il
vous plaît.

— Il s'agit du modèle A-4373 et le numéro de série est
le 3785938496-FD.

— Merci. Comment puis-je vous aider?

— Bien, comme je vous l'ai dit plus tôt, je suis coincé.

— Coincé?

— Oui, l'ascenseur s'est arrêté brusquement et je ne
peux ni le faire monter ni le faire descendre.

— Avez-vous essayé d'ouvrir les portes?

— Oui.

— Se sont-elles ouvertes?

— Heu, non.

— À quelle heure l'appareil s'est-il immobilisé?

— Il y a environ vingt minutes.

— Pourquoi avez-vous attendu vingt minutes avant de
nous contacter?

— Je n'ai pas attendu vingt minutes, j'ai essayé d'ouvrir les portes et, à peine quelques minutes plus tard, je
vous ai appelée. Le téléphone a sonné pendant plusieurs
minutes avant que vous ne répondiez. Nous nous parlons
depuis une bonne dizaine de minutes.

— Est-ce la première fois que vous êtes pris dans un
ascenseur?

— Oui, je crois.

— Souffrez-vous de diabète?

— Non.

— Faites-vous du cholestérol?

— Je ne crois pas.

— Êtes-vous claustrophobe, paranoïaque ou hypocondriaque?

— Non.

— Êtes-vous sujet à des étourdissements ou à des nausées lorsque confronté à des situations imprévues et potentiellement dangereuses ?

— Heu… Non, mais combien de questions y a-t-il ?

— Encore trois et c'est terminé.

— Quel âge avez-vous ?

— Trente-trois ans.

— Êtes-vous marié ?

— Non.

— Avez-vous des enfants ?

— Non.

— Merci, je transmets votre requête à mon superviseur. Bonne journée et merci d'avoir appelé Up and Down Elevators Inc.

La dame raccroche et P. se retrouve, en quelque sorte, à nouveau seul dans l'ascenseur. Conscient du fait qu'il devra sans doute attendre encore plusieurs minutes, voire plusieurs heures avant que des secouristes ne le libèrent, P. enlève son chapeau et son veston. Il plie ce dernier soigneusement, le dépose dans un coin de l'ascenseur et s'assied. Il dénoue un peu le nœud de sa cravate et jette un coup d'œil à sa montre. Il s'agit certes d'un imprévu des plus navrants, mais P. peut utiliser ce temps perdu à attendre de façon constructive. Il ferme les yeux et rejoue la conversation qu'il a eue avec le patron plus tôt dans la journée. Il s'agit d'une technique mnémonique reconnue : en se replongeant dans une situation et en rejouant la scène dans sa tête, on peut voir et entendre des choses que l'on avait oubliées. P. tente de reconstruire la trame des gestes et des paroles de sa rencontre avec le patron mais, malheureusement pour lui, il n'arrive pas à entendre M. Hatfield prononcer le nom de l'écrivain ayant à ce point marqué son adolescence qu'il décidait, à 8 h 7, d'envoyer P. quérir le feutre du défunt.

Il sort donc calepin et crayon et reprend le fil de l'exercice initié dans le taxi. L'idée du mets libanais, ou grec, l'a conduit à «Kasta». Il faut maintenant trouver une façon d'aller plus loin. Il répète le mot à haute voix à plusieurs reprises: Kasta, Kasta, Kasta. Il n'y avait pas de s dans ce nom, dit-il également à haute voix.

Le nom recherché, quoique court, lui a paru froid et guttural. Ce qui veut probablement dire absence de s, car cette lettre adoucit les mots. Que l'on pense à susurrer, soupir, souvenir. Il décide donc de remplacer la lettre s par une consonne plus percutante. Il procède méthodiquement, par ordre alphabétique: Kabta, Kacta, Kadta, Kaf...

Au moment où il envisage cette quatrième possibilité, le téléphone sonne. P. bondit de son siège de fortune et saisit le combiné avant même que la sonnerie ne se fasse entendre une deuxième fois.

— Oui?

— Pourrais-je parler à monsieur P.?

— C'est moi.

— Je m'appelle Sergio Fortunato. Je suis superviseur à la section des plaintes de la compagnie Up and Down Elevators Inc.

— Comment allez-vous?

— Très bien, merci. J'ai votre formulaire sous les yeux et, si j'en crois votre déclaration, vous dites être coincé dans un des ascenseurs dont nous assurons l'entretien.

— C'est bien ça. Combien de temps devrai-je encore attendre avant que des secouristes...

— Une étape à la fois, mon cher monsieur P. Votre formulaire contient plusieurs incongruités et, si vous me permettez, j'aimerais vous poser quelques questions.

— Des incongruités?

— Oui, par exemple, je lis ici que vous avez attendu vingt minutes avant de nous téléphoner.

— Je crois que la dame à qui j'ai parlé s'est trompée. Lorsqu'elle m'a posé la question, cela faisait en effet une vingtaine de minutes que l'ascenseur s'était immobilisé, mais dix bonnes minutes s'étaient écoulées avant qu'elle ne me pose cette question.

— C'est ce que je ne comprends pas, car il s'agit de la cinquième question du formulaire et il est peu probable que madame Diaz ait attendu une dizaine de minutes avant de vous la poser.

— C'est que j'ai eu de la difficulté à trouver le numéro de série.

— Il est écrit en grosses lettres au plafond.

— Je le sais maintenant, mais je n'ai pas songé à regarder au plafond au moment de mon appel et la dame n'a pu m'aider à trouver cette information.

— Madame Diaz remplit les formulaires, elle ne connaît rien aux ascenseurs.

— Oui, mais si vous-même savez que les numéros de série…

— … et de modèle.

— … et de modèle sont écrits au plafond pourquoi ne pas le dire à madame Diaz afin qu'elle puisse en informer les victimes…

— Êtes-vous en train d'insinuer que madame Diaz n'a pas bien fait son travail ?

— Pas du tout, je tente seulement d'améliorer le processus, je…

— Sachez que madame Diaz est à notre service depuis plus de vingt ans et que jamais elle ne ferait quoi que ce soit pour prolonger indûment l'attente d'un de nos clients.

— Je m'excuse si mes propos ont pu paraître vexants…

— J'accepte volontiers vos excuses et les transmettrai à madame Diaz aussitôt notre entretien terminé. Mais pour revenir à votre dossier, nous disions donc que vous avez été incapable de trouver les numéros de série et de modèle, et ce, même si ces derniers sont, selon nos experts, visibles à plus de cent mètres. Aussi…

— Mais, si je puis vous interrompre, qu'ils soient visibles à cent mètres ou à cent kilomètres n'a aucune importance si on ne sait pas où regarder.

— Effectivement, monsieur P., et c'est pour cette raison que nous avons fait des analyses poussées à ce sujet.

— Ah bon !

— Eh oui ! Selon nos experts, dans 99,4 % des cas, une personne se trouvant coincée dans un ascenseur regarde au plafond dans les trente secondes suivant l'immobilisation de l'appareil.

— Mais pourquoi donc ?

— Cela nous importe peu. Nous sommes des gestionnaires d'ascenseurs et non des psychologues. Ce qui compte, pour nous, c'est de prévoir la réaction de nos clients afin de pouvoir leur offrir le meilleur service possible, pas de comprendre leurs motivations profondes. Actuellement, nous pouvons la prévoir dans 99,4 % des cas. Vous conviendrez que cela est plus qu'acceptable dans un domaine où les humains sont en cause. Vous êtes, à ce sujet, ce que l'on pourrait appeler une anomalie statistique ou, pour emprunter un vocabulaire moins technique, l'exception qui confirme la règle.

Alors que M. Fortunato s'affaire à lui expliquer la méthodologie des dernières études faites dans le domaine des pannes d'ascenseurs, la marge d'erreur du dernier sondage en matière d'immobilisation d'ascenseurs et l'importance d'un échantillonnage représentatif lorsque vient le temps de sonder les « clients », P. se demande pourquoi il n'a pas réagi comme tout le monde. Il est, après tout, un homme rationnel. Il adore les échecs. Il lit des essais sur la gestion de projets et l'administration publique. Tous les soirs, avant de se coucher, il prend quelques minutes pour faire le point sur la journée qui se termine. Pour ce faire, il prend son agenda et examine tous les points qu'il y a inscrits la veille. Il détermine alors les suivis à assurer. Il planifie ensuite la journée à venir. Il note les tâches à accomplir dans un petit carnet et le place dans le veston qu'il portera le lendemain. Ce rituel est à P. ce que la prière est au croyant : un moment de recueillement quotidien qui lui permet de faire le point sur sa vie, de juger du bien-fondé de ses actions passées et de prévoir les gestes à venir. Pour le dire autrement : cela lui permet de s'améliorer. Il accomplit cette tâche debout, près de son lit. Une fois l'exercice terminé, il se glisse sous les couvertures et s'empare de son livre de chevet (invariablement un manuel de perfectionnement). Il lit alors pendant exactement quinze minutes, éteint la lumière et s'endort en quelques secondes.

Mais, au dire de ce M. Fortunato, voilà qu'il se retrouve aujourd'hui dans le camp de ceux qu'il exècre : les irrationnels, les irréfléchis, les imprévisibles !

— Monsieur P ! Vous êtes là ?

— Oui, oui, répond P., je suis là, excusez-moi.

— Bon, l'information que vous nous avez communiquée nous a permis d'établir votre emplacement exact. Vous êtes dans un des ascenseurs de l'édifice Old Port de New York.

— Oui, je le sais. Je l'ai même dit à madame Diez…

— Diaz !

— Diaz, pardon, au tout début de notre entretien…

— Monsieur P., saviez-vous qu'un sentiment de désorientation profond est l'une des premières réactions « normales » des victimes d'ascenseurs immobilisés ?

— Non, je ne le savais pas.

— Eh bien, tel est le cas. Non seulement savons-nous cela aujourd'hui, mais nous le savons depuis plusieurs décennies.

— …

— Depuis le cas Zimmermann, pour être plus précis. Ce dernier, pourtant coincé dans un ascenseur de Miami, affirma se trouver à Chicago. Après une recherche poussée où tous les ascenseurs de la ville furent systématiquement fouillés, on trouva son corps en Floride. Il était mort d'un arrêt cardiaque.

— Bon, encore une fois, pardonnez-moi, mais je…

— Évidemment, vous vous excusez ! Une fois que l'on se rend compte que l'on dit n'importe quoi, on s'excuse ! Il s'agit là d'une réaction assez fréquente. Parce que, se dit-on, je sais lire et écrire, je peux me comporter comme si je savais tout et comme si je pouvais appliquer mon imposant savoir à tous les domaines ! Je ne sais pas ce que vous faites dans la vie, mais je présume que vous n'appréciez pas non plus les conseils de gens qui ne connaissent rien à votre métier. Sur ce point, sachez, monsieur P., que les gens qui, comme moi, travaillent depuis des années à aider des gens comme vous à se sortir du pétrin commencent à en avoir marre de votre paternalisme et que…

Alors même que M. Fortunato fait la morale à P., ce dernier entend un bruit familier et, tournant le regard dans sa direction, constate que les portes de l'ascenseur viennent de s'ouvrir. Sans plus attendre, il saisit son veston, son chapeau et sort de l'ascenseur d'un bond. Les portes se referment aussitôt derrière lui.

P. regarde à gauche, à droite, puis se rhabille. Alors qu'il ajuste sa cravate, il entend la clochette de l'ascenseur. Les portes s'ouvrent, comme si l'ascenseur invitait P. à lui donner une deuxième chance. Il pourrait sauter de nouveau dedans, il est peu probable que le même scénario se répète. Quel que soit le problème qui l'a immobilisé pendant près d'une demi-heure, il a sans doute été réglé grâce au travail infatigable d'une équipe d'ingénieurs. Convaincu que, statistiquement, les chances de revivre la même situation sont négligeables, et conscient du fait qu'il ne doit pas perdre de vue l'objectif de sa mission, P. se dirige vers l'ascenseur lorsque la clochette du deuxième ascenseur se fait entendre à son tour. P. regarde la lumière indiquant que l'ascenseur est sur le point d'arriver et décide qu'après tout, et ce, même s'il persiste à croire au bien-fondé de son analyse de probabilités, il va opter pour le deuxième ascenseur. Au moment où les portes du premier ascenseur se ferment, celles du second s'ouvrent. L'ascenseur est bondé. Une toute petite femme, sans doute la dernière à se joindre à la horde d'individus pressés les uns contre les autres, regarde P. et hausse les épaules, geste universel pour communiquer l'idée généralement associée au mot «désolée.»

Évidemment, P. s'attend à ce que quelqu'un sorte, sinon pourquoi l'ascenseur se serait-il arrêté? Mais les portes se referment sans que personne n'ose briser l'intégrité du bloc de chair et d'os qui s'est constitué au fil des étages. P. se retrouve donc seul devant les deux ascenseurs aux portes fermées. Il appuie immédiatement sur le bouton et attend pendant une dizaine de minutes. Grâce aux cadrans placés en haut des portes, P. peut suivre le cheminement des deux ascenseurs. Pendant ces dix minutes, P. note, entre autres choses, que l'ascenseur dans lequel il a été coincé s'est rendu au 12e étage sans faire un seul arrêt; qu'à la suite de cette ascension ininterrompue, il s'est arrêté au 15e étage, au 17e et au 19e étage, avant de retourner au rez-de-chaussée. Il n'a pas bougé depuis. Contrairement à ce que prétend l'affiche du rez-de-chaussée, donc, P. a opté non pas pour un ascenseur «express» mais plutôt pour l'un de ceux desservant les dix-neuf premiers étages. Une telle insouciance de la part des gestionnaires de l'édifice l'irrite au plus haut point.

Le second ascenseur, quant à lui, semble paralysé entre les 11e et 12e étages. Les individus qui se trouvent à l'intérieur s'apprêtent donc à vivre collectivement ce que P. a vécu seul. Sur la base de sa récente expérience, ainsi que de son observation, tout aussi importante, du «comportement» des ascenseurs depuis une dizaine de minutes, P. conclut qu'il ne peut se fier à ces engins. Il opte donc pour l'escalier.

❏

Il y a un escalier à chacune des deux extrémités du couloir. P. prend sur sa droite. Arrivé devant la porte de l'escalier, il lit, écrit en lettres rouges sur fond blanc, le commandement suivant: N'utilisez qu'en cas d'incendie. P. regarde à l'autre bout du couloir. Est-ce possible qu'un des escaliers puisse servir en cas d'incendie et que le second soit destiné à l'usage public? P. se dirige vers l'autre escalier. Chemin faisant, il regarde sa montre. Cela fait maintenant une heure et dix-sept minutes qu'il a quitté son bureau. Il accélère le pas.

Arrivé au second escalier, P. lit l'avertissement suivant: L'ouverture de cette porte déclenchera automatiquement une alarme. P. regarde à l'autre extrémité du couloir. Comment expliquer la nuance entre ces deux avis? Le premier, exhortant de n'ouvrir la porte qu'en cas d'incendie, et le second, informant que l'ouverture de la porte déclenchera «automatiquement» une alarme? P. ne saisit pas en quoi une telle distinction peut être utile. Il comprend la fonction du premier escalier, qui ne doit être utilisé qu'en cas d'incendie. Mais dans le cas d'un incendie, ne voudrait-on pas que l'ouverture de quelque porte que ce soit déclenche l'alarme? Si tel est le cas, pourquoi ne pas simplement reproduire le deuxième avertissement?

P. jongle avec l'idée de revenir à l'option ascenseur. En effet, que dirait son patron s'il apprenait que l'employé en qui il a mis toute sa confiance a causé une épouvantable commotion, soit en déclenchant inutilement le système d'alarme (ce qui aurait comme conséquence l'évacuation de l'édifice), soit en se faisant appréhender dans un escalier interdit au public (ce qui aurait comme conséquence, soit une amende, soit un appel embarrassant à son employeur). P. n'a aucune difficulté à conclure que ni l'un ni l'autre de ces scénarios n'est souhaitable. Dans les deux cas, M. Hatfield serait en droit de penser que, contrairement à ce qu'il a pu croire à 8 h 7, P. n'est pas l'homme de la situation. Autrement dit : l'utilisation de l'un ou de l'autre de ces escaliers sonnerait le glas de la confiance accordée à P. et viendrait mettre un terme à une carrière prometteuse à la Stuff and Things Company.

P. retourne donc au centre du couloir et observe de nouveau les ascenseurs. Il soupire. Mais au moment d'appuyer sur la petite flèche d'un air résigné, une pensée révolutionnaire traverse son esprit : pourquoi ne pas cogner à l'une de ces portes de bureau et demander de l'aide ? Cette idée, à l'effet que le sort de sa mission ne dépend peut-être pas uniquement de sa capacité à la mener à bien sans le concours d'un inconnu, le fait sourire. Il est habitué à se tirer d'affaire tout seul, mais on a beau être débrouillard, il reste que l'on ne peut pas tout faire soi-même. Il se souvient même d'avoir copié dans un de ses précieux carnets une phrase portant sur l'importance de l'entraide en milieu de travail. Bien qu'il soit en dehors des limites strictes de son lieu de travail, P. conclut rapidement que le conseil de l'auteur-gourou en gestion de personnel s'applique à merveille à sa situation actuelle. Il se dirige donc vers la porte la plus près d'un pas preste, heureux de l'utilité des livres.

P. cogne à la porte. Il ajuste ensuite sa cravate et s'assure que sa veste est boutonnée de façon adéquate. Il tient son chapeau dans sa main gauche. Il toussote un peu, tel un homme qui s'apprête à dire quelque chose d'important. Il attend quelques secondes, mais rien ne se produit. Il cogne une deuxième fois, un peu plus fort cette fois. Il toussote de nouveau et passe une main dans ses cheveux. Après quelques secondes, P. fixe la poignée du regard. Son avenir tout entier va se jouer derrière cette porte. On va lui indiquer comment se sortir de ce labyrinthe, il trouvera le chapeau et retournera au bureau. Le patron le félicitera. Il l'invitera même à aller prendre un verre pour célébrer la conclusion heureuse de cette première mission. Une amitié naîtra de cette sortie. Le patron dira à P. : je peux vous tutoyer ? Bien sûr. Écoute P., tu fais un très bon travail, mais je crois que tu es capable de beaucoup plus. Voudrais-tu devenir mon partenaire, mon associé ? Ou encore, gage ultime de la confiance dans le monde des affaires et méthode plusieurs fois centenaire utilisée afin de garder la richesse et le pouvoir dans la famille : j'aimerais te pré-senter à ma fille unique.

P. tourne la poignée. Il n'a pas eu le temps d'imaginer l'intérieur de la salle, mais il a, bien sûr, quelque part dans son cerveau, une idée générale de ce qui devrait s'y trouver. Un *a priori* approximatif du genre : une réceptionniste sou-riante lui fait signe d'attendre un moment cependant qu'elle répond au téléphone puis, toujours souriante, lui demande comment elle peut l'aider. Cette idée type, cet archétype, de ce qui se trouve derrière toute porte de bureau qui se respecte, P. l'a acquise au fil des années passées à chercher un emploi, puis il l'a consolidée, comme employé de la Stuff and Things Company. Toutes les portes s'étant, au fil des années, plus ou moins ouvertes sur ce tableau plus ou moins similaire d'une réceptionniste plus ou moins souriante, il est logique d'inférer que cette porte-ci ne dérogera pas à la règle. Mais une tout autre réalité l'attend.

La porte n'est pas verrouillée. Il la pousse doucement et avance d'un pas lent, tel un homme ne voulant pas réveiller un vieil ami à qui il rend visite à l'hôpital. P. regarde à l'intérieur. Il éprouve alors un léger vertige. La salle est gigantesque. Pendant un instant, P. a la nette impression que cet entrepôt est plus grand encore que l'édifice qui le contient. À une dizaine de mètres de la porte, derrière une minuscule table derrière laquelle est assis un vieil homme en uniforme, se dresse une énorme étagère, haute de plusieurs mètres.

Du pas de la porte, on dirait l'immense bibliothèque privée d'un géant, remplie de livres disparates. P. ne peut en discerner les limites, car elle se perd dans l'obscurité, tant en hauteur qu'en profondeur. Seule la table du garde de sécurité est parfaitement éclairée. Il s'en approche et constate que le vieil homme en uniforme dort. De là, il peut distinguer le contenu des étagères : des valises. Des centaines, non, des milliers de valises. De toutes les couleurs, de toutes les formes, de toutes les textures. D'où peuvent-elles bien venir ? À qui peuvent-elles appartenir ? Et, surtout, que peuvent-elles contenir ? Arrivé à la hauteur du petit homme, P. s'éclaircit la voix et dit :

— Pardon !

Le gardien de sécurité ne bouge pas.

— Pardon, monsieur !

Toujours rien. Un peu plus fort, cette fois :

— Pardon, monsieur, je cherche la salle des chapeaux.

P. ne sait pas si une telle « salle des chapeaux » existe. Mais à la vue de cette pièce, remplie de valises, il postule que l'édifice tout entier doit être subdivisé en différentes salles thématiques : valises, chapeaux et — pourquoi pas ? — redingotes ou parapluies. Ainsi fonctionne le cerveau de l'homme rationnel : à partir de l'observation somme toute partielle d'une réalité jusqu'alors inconnue, il peut induire l'organisation du tout.

Le vieil homme a les bras croisés et semble lire un journal, déposé sur la petite table : la position classique des gardes de sécurité qui dorment pendant les heures de travail. P. regarde tout autour de lui, puis s'approche de l'homme. P. n'aime pas toucher aux inconnus, mais il n'a d'autre choix que d'allonger le bras et de toucher l'épaule du dormeur du bout des doigts. La légère pression qu'applique P. de ses deux doigts suffit à rompre le fragile équilibre permettant à l'homme de dormir tout en faisant semblant de lire le journal. L'homme tombe sur le côté comme si P. venait de le frapper de toutes ses forces. P. recule d'un pas, regarde autour de lui. Bien que sa chaise n'ait pas bougé, l'homme a gardé la position assise en tombant et gît sur le sol tel un homme assis sur le côté, les bras toujours croisés. P. s'agenouille près du corps. Il pose alors ces mêmes index et majeur sur la gorge du vieil homme et, du bout des doigts, cherche son pouls.

Pendant quelques secondes, rien ne bouge dans l'immense salle des valises, à l'exception des deux doigts de P. Ceux-ci semblent marcher doucement sur la gorge du vieillard, à la recherche de quelque signe de vie. Entre la vie et la mort, il y a ces deux doigts. Deux doigts tentant de mettre en communication le cœur d'un homme et le cerveau d'un autre. Lorsqu'il devient évident que l'homme est mort, P. se laisse tomber par terre. Les deux mains sur le sol, les genoux pliés, il ferme les yeux et fronce les sourcils. Il reste ainsi pendant plusieurs minutes à se poser cette seule question : que faire ?

L'action mène à la connaissance, qui pousse à l'action, qui mène à la connaissance, qui pousse à l'action, etc. P. est venu accomplir quelque chose de précis dans cet édifice, mais ce qu'il y a appris le pousse à faire autre chose. Ce tango interminable entre action et connaissance, connu sous le nom de dialectique, fait la force et le malheur de l'humain en même temps qu'il le distingue des bêtes. En effet, imaginons la même scène en pleine forêt amazonienne, à des lieues de la civilisation. Un animal arrive dans une clairière et y trouve un corps inerte. Il le flaire et découvre qu'il est sans vie. Que fait-il? S'il est de la race des charognards, il se met à table. Sinon, il continue son chemin. Il ne se demande pas: devrais-je tenter de le ranimer? Devrais-je l'enterrer? Devrais-je fouiller ses poches afin d'établir son identité et contacter sa famille? Enfin, et surtout, il ne se dit pas: devrais-je cacher le corps de façon à ce que ma mission ne soit pas mise en péril?

P. conclut rapidement qu'il lui faut cacher le corps. Et où cache-t-on un corps dans une salle remplie de valises? L'évidence de cette réponse pousse P. à soupirer: dans une valise...

❏

Avant de cacher le corps du garde de sécurité dans une valise, P. décide d'élaborer un plan de travail. Il sort donc son carnet et y écrit, en lettres majuscules: OPÉRATION CADAVRE. Il écrit ensuite les chiffres de 1 à 10 dans la petite marge de gauche du calepin. P. sait par expérience que tous les plans d'action ne comportent pas dix étapes. Mais il sait aussi que le fait de voir ces jalons sur la page structure sa pensée et l'aide à établir une suite logique entre les différents points. Point 1: s'assurer que personne ne regarde. Après avoir écrit cette phrase, cependant, P. se dit que quelqu'un pourrait l'écouter sans nécessairement le voir. Il remplace donc «ne regarde» par «n'épie». Satisfait de cette première étape, il s'attaque au second point.

Devrait-il trouver un endroit où cacher le corps en premier lieu ou déplacer le corps au plus vite, sans savoir exactement où il le dissimulera? P. se range rapidement du côté de cette deuxième option ; il serait plus prudent de déplacer le corps au plus vite. Il note donc : Point 2 : cacher le corps. Mais il se rend compte aussitôt que le geste qu'il s'apprête à poser soulève une question de stratégie non négligeable et qu'il lui faut réfléchir davantage. D'une part, s'il n'agit pas tout de suite, quelqu'un risque de se pointer et de voir le corps du gardien de sécurité inerte, à côté de la table. D'autre part, s'il s'empare immédiatement du corps et ne peut trouver d'endroit propice dans les plus brefs délais, quelqu'un risque de le voir « avec » le corps du vieil homme. Quiconque le surprendrait avec un cadavre sur l'épaule serait porté à conclure, correctement, que P. tente de cacher le corps. Ce qui serait on ne peut plus incriminant.

Par contre, si quelqu'un devait surgir dans la salle alors que le corps gît par terre et que P., lui, se promène dans la salle à la recherche d'une cachette, il pourrait faire semblant de chercher de l'aide. P. conclut donc qu'il vaut mieux laisser le corps où il est pour l'instant. Il ajoute même, *in petto*, « je pourrais moi-même me cacher si j'entends des pas. »

P. rature donc le chiffre 2 et écrit à sa gauche le chiffre 3. Sur la ligne suivante, il écrit le chiffre 2 et le relie au chiffre 3 grâce à une petite ligne courbée à deux flèches. Sous le point 2, il écrit : trouver un endroit où cacher le corps. P. relit ensuite ces trois points dans l'ordre et conclut qu'il s'agit d'une séquence logique. Mais alors qu'il s'apprête à écrire le point 4, il constate que ces trois points font ressortir l'urgence de la situation. Il vaudrait peut-être mieux, pense-t-il, mettre en œuvre ces trois étapes avant de penser à la suite des choses. Il note donc : 4 : Mettre en application les trois premiers points immédiatement. Il ferme son calepin et se tourne vers les bibliothèques géantes trônant derrière l'infortuné.

Il ne s'agit bien sûr pas de bibliothèques mais plutôt d'étagères rudimentaires comme on en trouve dans les magasins entrepôts et dans les entrepôts magasins. Comme il fut dit précédemment, la première rangée fait face au visiteur. Ou encore : elle est parallèle au bureau du défunt garde de sécurité. La première étagère, il va sans dire, n'est pas mur à mur, sinon, il serait impossible de passer d'une rangée à l'autre. Un espace de quelques mètres, situé en plein centre, permet aux employés d'aller d'une rangée à l'autre. En l'absence d'échelles, fixes ou amovibles, P. conclut que pour placer les valises sur les tablettes supérieures, on doit avoir recours à un monte-charge mécanisé. N'ayant jamais opéré un tel véhicule et n'étant détenteur d'aucun permis l'y autorisant, P. décide qu'il devra cacher le corps au niveau du sol.

P. ne sait pas comment on a ordonné les choses sur ces étagères. L'ordre alphabétique est la technique de classement la plus utilisée en gestion de matériel, suivi de près par le classement par ordre chronologique. Il existe bien sûr d'autres façons d'organiser l'information. On peut, par exemple, utiliser une échelle de valeurs dites qualitatives, selon laquelle on positionne les objets en fonction de leur importance, de leur valeur, voire de leur rareté. Dans le domaine du commerce international, un domaine que P. connaît particulièrement bien, on peut diviser les étagères en régions du monde, en pays ou en villes.

Dans le cas qui nous occupe, P. ne connaissant ni le contenu des valises ni le motif de leur entreposage, il ne peut deviner la logique qui a prévalu à leur organisation. Pendant une fraction de seconde, il se dit qu'il pourrait toujours fouiller dans les affaires du garde de sécurité. Il y découvrirait sans doute de l'information lui permettant de comprendre un peu mieux la raison d'être de cette salle. Ses années passées à travailler dans le monde de l'archivage lui permettraient sans doute d'établir assez facilement le système de classement le plus apte à répondre aux besoins de la firme. Alors qu'il se dirige vers le bureau, P. regarde sa montre, puis il s'arrête. Mû par un fort besoin d'agir, d'avancer, P. se résigne à aller de l'avant sans avoir à sa disposition toutes les données nécessaires. Puis, parce que tout homme veut justifier ses choix, il murmure :

— De toute façon, je n'ai pas vraiment besoin de cette information.

En effet, P. a-t-il vraiment besoin de comprendre la raison d'être de cet entrepôt avant de pouvoir cacher le cadavre dans une des valises ? À quoi lui servirait de découvrir qu'il s'agit tout bonnement du lieu où l'on entasse les valises égarées ? De plus, s'il avait écouté son instinct professionnel et s'était mis à fouiller dans les tiroirs du défunt, il aurait peut-être découvert de l'information qui l'aurait incité à se poser d'autres questions. Ces questions auraient elles-mêmes mené à d'autres actions qui, à n'en point douter, auraient soulevé des questions… Bref, à tout vouloir savoir, se dit P. philosophiquement, on en vient à ne rien pouvoir faire. La connaissance, selon cette logique, et contrairement à ce que l'on nous enseigne dès notre plus tendre enfance, mènerait à l'inaction. Alors qu'il fait demi-tour, P. ne peut s'empêcher de poursuivre cet argument : s'il avait découvert qu'il s'agissait d'un tel entrepôt, aurait-il voulu ensuite savoir si les valises provenaient de vols domestiques ou de vols internationaux ? Les valises abandonnées dans les gares de trains étaient-elles…

Alors que P. se pose ces questions, un bruit l'interrompt dans ses pensées et lui fait tourner la tête brusquement. Quelqu'un cogne à la porte. Sans avoir à sortir son calepin, P. conclut rapidement que ses options se limitent à deux : se cacher ou ouvrir la porte. Dans un geste que d'aucuns qualifieraient de synthèse entre la théorie et la pratique, P. se jette derrière l'étagère la plus près au moment même de son adhésion à cette option. Couché sur le ventre, retenant son souffle et transpirant à profusion, P. concentre toute son énergie à écouter ce qui se passe à quelques mètres de sa planque. Se rappelant avoir lu un jour que ceux qui perdent un de leurs cinq sens réussissent à améliorer le rendement des sens restants, P. ferme les yeux pour mieux entendre. Il tente ensuite d'établir la véracité de cette hypothèse en fermant et en ouvrant les yeux à chaque dix secondes. Il ne note aucune amélioration de son ouïe. Il se dit ensuite qu'il n'y a peut-être rien à entendre. Ou qu'une telle compensation auditive ne se fait pas automatiquement. Alors qu'il ferme les yeux pour une troisième fois, il entend cogner de nouveau. Cette fois, c'est beaucoup plus clair ! La technique semble fonctionner, se dit P. avant de se rappeler que lui-même avait cogné un peu plus fort la deuxième fois lorsqu'il se trouvait derrière cette même porte.

L'intrus ne cogne plus. P. attend quelques minutes et ouvre alors les yeux. Il se lève et, un peu par curiosité, un peu par instinct, il écarte deux valises et regarde par la fente ainsi créée en direction de la porte. Parce que le plancher est noir, il voit immédiatement la lettre qui se trouve devant la porte. Il ne peut bien sûr présumer que le cogneur est aussi celui qui a glissé la lettre sous la porte. Quelqu'un d'autre aurait pu le faire sans que P., affairé à tâter le pouls de l'homme ou à rédiger des notes dans son calepin, n'entende quoi que ce soit. P. replace les valises et se lève. Il sort son calepin. Contrairement à ce qu'il avait établi lors de la rédaction des trois premières étapes de son plan d'action, P. juge que la première étape doit être de sécuriser la salle. L'intrus n'est pas entré, mais aurait pu le faire car, la présence de P. en témoigne, la porte n'est pas verrouillée.

P. évalue la distance entre sa position et la porte à environ 10 mètres. Il ouvre alors son calepin et calcule le temps
qu'il devrait mettre à courir jusqu'à la porte. Il se souvient
d'avoir couru le 100 mètres en quatorze secondes alors
qu'il était à l'université. Il ajoute ensuite une seconde pour
prendre en considération son âge, une seconde pour son
manque d'entraînement et deux secondes pour les chaus-
sures et les vêtements qu'il porte. Il regarde ses notes et,
par précaution, ajoute une autre seconde. Sur la base d'un
cent mètres en dix-neuf secondes, il devrait être à la porte
en moins de deux secondes. Si quelqu'un devait cogner au
moment même où il part, il aurait quand même le temps
d'arriver à la porte avant que l'intrus ne tourne la poignée
ou ne cogne une deuxième fois. Il placerait alors son pied
de façon à bloquer tout mouvement de la porte, repren-
drait son souffle et verrouillerait la porte en moins de deux.

P. se rend jusqu'au bout de l'étagère sur la pointe des
pieds. Il fixe alors son but, prend quelques bonnes respi-
rations, secoue ses mains le long de son corps (mouvement
qu'il fait sans réfléchir, sans doute un vestige de ses années
d'athlétisme). Il s'élance. P. n'a pas fait trois pas qu'il sent
une douleur intense dans son mollet. Il fait tout en son
possible pour ne pas crier, mais la douleur est à ce point
intense qu'un petit cri s'échappe de ses lèvres crispées. De
leur propre chef, ses mains décident de se porter au secours
du mollet mal en point. Ce geste soudain, voire instinctif,
prend le reste du corps de P. par surprise et lui fait perdre
son équilibre. Lorsqu'il s'écrase sur le sol, il se heurte
violemment le coude, ce qui le fait crier une deuxième fois.
Entre le moment où la douleur s'est fait sentir dans sa jambe
et le moment où P. se retrouve par terre, recroquevillé sur
lui-même, moins de deux secondes se sont écoulées.

P. gît par terre, à environ quatre mètres de son objectif.
Sa main droite tire vers lui sa jambe gauche et sa main

gauche s'agrippe à son coude droit. Ses lèvres sont invisibles et il respire par le nez. Alors qu'il ouvre les yeux, il entend quelqu'un cogner à la porte.

P. se trouve certes dans une position précaire. Bien que ses années d'études en gestion de l'information lui aient enseigné à traiter chaque situation tel un projet qu'il faut gérer en tenant compte des ressources disponibles ; bien qu'il sache que tout projet comporte son lot d'imprévisibilité ; bien qu'il ait appris à composer avec toutes sortes de contretemps fâcheux ; bien qu'il sache, donc, qu'il ne faut pas abandonner mais plutôt repenser son plan d'action en fonction des nouvelles donnes, eh bien, P. se met à « espérer » que l'intrus s'en ira peut-être sans insister davantage.

Bien sûr, P. sait que cet espoir ne repose sur aucune base scientifique ou rationnelle. Les chances que l'intrus se comporte d'une telle façon existent. Il s'agit d'un fait indéniable. Elles n'existent cependant pas « parce que » le premier intrus s'est déjà comporté de façon similaire. Ce n'est pas parce que l'on se trouve dans une situation précaire que l'on doit abandonner, se dit P. Après tout, il ne peut pas rester là à rien faire. Il sait que si quelqu'un ouvre la porte, il verra un mort en position assise gisant près de sa chaise et un autre homme se tordant de douleur à quelques mètres de l'infortuné. Que conclurait l'intrus ? Que les deux hommes se sont battus et que celui qui a survécu a tué l'autre. L'intrus pourrait aussi penser que les deux hommes ont été attaqués par un troisième qui s'est enfui avec des valises. Ce scénario rassure P. suffisamment pour qu'il tente de se relever.

C'est à ce moment précis que la porte s'ouvre lentement. P. s'immobilise et décide de faire comme si lui aussi était mort : il ferme les yeux. Il entend l'homme avancer d'un pas lent. Il entend aussi une sorte de grincement qu'il n'arrive pas à identifier ; l'homme (pourquoi pas la femme !) pousse peut-être un chariot sur lequel sont entassées quelques valises. P. entend le bruit de la porte qui se referme derrière le visiteur. Puis, d'autres pas et ce petit grincement. Un cliquetis de plastique. Ou encore : le bruit d'une petite bille se promenant sur le plancher. Enfin, il entend une voix :

— Il y a quelqu'un ?

P. ouvre les yeux. Comment peut-il passer inaperçu ? Il est au beau milieu d'une aire gigantesque, recroquevillé sur lui-même ! P. doit se tourner pour voir l'homme qui s'avance vers lui.

— Il y a quelqu'un ? répète l'homme.

P. tourne la tête vers la droite et, par-dessus son épaule, voit un petit homme vêtu de noir, poussant devant lui une canne blanche. Il porte des lunettes noires. On voit tout de suite qu'il est aveugle.

P. n'en revient pas. Il y a quelques secondes à peine, il se croyait perdu. La porte allait s'ouvrir et on allait l'accuser du meurtre d'un garde de sécurité. Pire encore, le patron appellerait au bureau des douanes pour demander où était passé son employé. On lui répondrait que oui, il est passé plus tôt mais il se trouve désormais en prison.

— En prison ! répéterait le patron.

— Oui, il a été accusé du meurtre d'un sexagénaire.

— Meurtre ! Sexagénaire ! balbutierait le patron.

Bien sûr, l'homme n'a peut-être pas été assassiné. Il n'a peut-être pas été victime d'un tueur, mais d'un infarctus, tout simplement. Mais P. sait que les apparences sont parfois plus fortes que la vérité et qu'une fois accusé de meurtre, peu importe l'issue du procès, sa carrière serait fichue. Le patron lui expliquerait qu'il était heureux d'apprendre que P. n'était pas un vil assassin mais que cela ne changeait rien à l'affaire : il avait échoué dans sa mission et le patron ne pouvait plus lui faire confiance.

— Roger, tu es là ? demande l'aveugle.

— Non, il a dû s'absenter, répond P., surpris d'entendre sa propre voix.

— Ah, d'accord. Pourriez-vous lui dire qu'il y a eu un début d'incendie dans la salle des chapeaux?

— La salle des chapeaux! s'exclame P. en se relevant de peine et de misère.

— Oui, rien de grave, mais ils vont devoir envoyer certains chapeaux chez le nettoyeur.

— Chez le nettoyeur! répète P.

— Oui, mais pas tous les chapeaux. Ceux qui étaient entreposés dans la rangée « A à M » n'ont pas été en contact avec la fumée. Ils m'ont demandé de vous dire qu'ils vous les enverraient pendant qu'ils nettoient la salle. Ça ne devrait pas prendre plus de trois ou quatre heures. Ça va?

— Parfait, je ne manquerai pas d'en informer Roger.

— Où est-il allé au juste? demande alors l'aveugle.

P. regrette d'avoir mentionné le nom du garde de sécurité. S'il avait simplement dit: « Merci », l'aveugle n'aurait pas demandé des nouvelles de Roger, mais en entendant son nom, il s'est rappelé que celui qu'il était venu voir n'est pas là. Cette situation est d'autant plus grave qu'elle oblige maintenant P. à mentir.

— Il m'a seulement dit qu'il avait une affaire à régler. Il devrait être de retour dans…

— Dans?…

— Dans vingt minutes, dit finalement P.

— Ah. Bon, je ne l'attendrai pas, mais je compte sur vous pour lui expliquer ce qui se passe. Allez, au revoir.

— Au revoir.

Pendant la conversation, P. s'est rapproché du bureau de Roger petit à petit. Lorsque l'aveugle lui dit au revoir, il est debout, devant le corps inerte du vieillard, comme s'il voulait le cacher. Comme si la cécité de l'intrus n'avait pas été établie de façon assez convaincante. Le collègue du mort ferme la porte derrière lui et, deux secondes plus tard, P. sautille jusqu'à elle pour la verrouiller. Il pose ensuite son front sur la porte et ferme les yeux. Non pas comme un homme qui veut dormir mais plutôt comme un homme qui doit prendre une importante décision en peu de temps. En moins de deux secondes, cette décision s'est imposée d'elle-même : si, comme il le croit, les chapeaux sont classés de façon alphabétique et que le sien commence bel et bien par la lettre « K », il fera partie de la rangée « A à M » et sera bientôt livré dans la salle des valises. Il n'y a donc pas de temps à perdre.

Notre homme se laisse glisser jusqu'au sol et, assis, dos à la porte, il s'empare de son calepin. On se souvient des quatre premiers points notés par P. : 1. S'assurer que personne n'épie. 2. Trouver un endroit où cacher le corps. 3. Cacher le corps. 4. Mettre en application les trois premiers points immédiatement. L'épisode de l'intrus a bien sûr chambardé la séquence des actions à prendre, mais tout bon employé doit savoir composer avec une certaine dose d'imprévu. Cela n'enlève rien à l'importance de son plan, même s'il doit maintenant le modifier quelque peu afin de l'adapter à la nouvelle réalité.

En verrouillant la porte, P. a répondu aux exigences du premier point. Il peut ainsi faire un petit crochet à gauche du chiffre 1. Ce geste lui procure un certain bonheur ou, pour être plus précis, un sentiment du devoir accompli. En effet, il n'y a rien de plus valorisant pour P. que de pouvoir cocher les points inscrits dans son carnet. Présentement, son taux de complétion n'est que de 25 %. Ce n'est pas mal, mais c'est insuffisant. Heureusement que les autres points qu'il s'apprête à ajouter auront comme conséquence de faire baisser sa moyenne. Car P. comprend bien l'importance de la motivation professionnelle et, pour cette raison, il va recourir à une méthode éprouvée lui permettant d'augmenter sa moyenne! En effet, il va ajouter des points qu'il n'avait pas préalablement inscrits mais qui correspondent à des actions que les circonstances l'ont déjà amené à accomplir. À la suite du point 4, il écrit donc : « se débarrasser de l'intrus » et, sur une autre ligne, « verrouiller la porte. » P. esquisse un sourire. Une fois les points retranscrits et fraîchement numérotés, P. peut cocher trois points sur un total de six. Une moyenne de 50 %! Encouragé par ce résultat, il s'attaque au prochain point à l'ordre du jour : trouver un endroit où cacher le corps.

D'un pas lent, P. se dirige vers les valises. En passant près de Roger, il lui jette un coup d'œil. Dieu merci, il est tout petit, se dit P. Arrivé devant la première rangée de valises, P. note qu'il y a aussi des coffres et de ces énormes sacs fourre-tout qu'utilisent les sportifs et les amateurs de plein air. Il s'approche d'une énorme malle bleue, s'empare de la poignée et, de peine et de misère, la tire hors de l'étagère, jusque dans l'allée du centre. Pour une raison que P. ne peut s'expliquer, le côté intérieur de l'étagère est orné d'un miroir. P. s'y regarde brièvement, puis se penche sur la malle. Il constate avec soulagement que l'on a fait sauter la serrure. Quel métier, se dit P., en pensant au type qui, jour après jour, brise des serrures de valises abandonnées et en inspecte le contenu.

P. soulève le couvercle. La malle regorge de vieux journaux. Il s'agit, en grande partie, de petites annonces du *New York Times*. Il creuse un peu plus et trouve une section sports et une autre section de petites annonces. P. comprend alors que le propriétaire de la malle a utilisé le papier journal pour protéger son contenu. Il plonge donc la main dans l'amas de papier jauni et s'aperçoit rapidement qu'il dissimule une quantité impressionnante de livres.

Après avoir tâtonné un peu, il en ressort *Mond über Manhattan*, d'un certain Paul Auster. P., qui ne lit pas l'allemand et ne connaît pas Paul Auster, le feuillette quand même, comme s'il était chez le libraire et s'apprêtait à choisir un livre avant de partir en vacances. Après quelques secondes, il le dépose sur le papier journal et plonge de nouveau la main dans la malle. Alors qu'il fouille son contenu, P. esquisse un sourire. Cette activité lui procure un certain plaisir. Comme s'il était à une foire foraine ou en présence d'un coffre aux trésors. Le deuxième livre, toujours en allemand, s'intitule *Das Sandbuch* ; il a été écrit par un dénommé Jorge Luis Borges. Tel un enfant qui aurait droit à trois présents, il plonge de nouveau la main dans le coffre et, cette fois, va jusqu'au fond. Encore en allemand : *Palomar*, d'Italo Calvino. P. remarque alors, entre deux feuillets de petites annonces, quelque chose qu'il n'avait pas d'abord vu. Il ne s'agit pas d'un livre en allemand mais plutôt d'une grosse enveloppe jaune. P. l'ouvre et y trouve un manuscrit sans titre qui, de toute évidence, est un recueil de nouvelles. La première est intitulée : « Lectures d'autobus ».

P., nous avons eu l'occasion d'y faire allusion plus tôt, est un lecteur sérieux. Il lit des livres de gestion, des manuels de perfectionnement et, plus rarement, des biographies d'hommes qui, de par leur détermination et leur force de caractère, ont réussi à amasser des fortunes faramineuses ou à remettre sur les rails de la profitabilité des entreprises chancelantes. Il a bien sûr lu quelques romans alors qu'il fréquentait l'université, mais il n'a jamais cru bon d'acheter un livre de fiction pour le plaisir de lire. Or, bien que le temps presse, car il a un cadavre à cacher et un chapeau à trouver, P., sans trop savoir ce qui l'y pousse, referme le couvercle de la malle, y grimpe et, tel un homme assis sur un banc public quelconque, se met à lire cette nouvelle. Geste qui, pour concret et réel qu'il soit, demeure foncièrement irrationnel et inexplicable. La présence du miroir rend la scène encore plus irréelle, car on croirait voir le frère jumeau de P., lisant lui aussi le même livre.

Lectures d'autobus

L'homme lit debout sur le trottoir du boulevard Anna Blume. Il tient son livre très haut devant son visage. Une position de lecture quelque peu ridicule pour qui est habitué au confort de son fauteuil préféré, d'un lit douillet ou d'une bonne vieille chaise droite. L'effet est d'autant plus impressionnant que l'homme en question porte un chapeau. De loin, on dirait donc un homme dont la tête aurait la forme d'un livre, coiffé d'un chapeau.

Un observateur distrait pourrait penser qu'il se cache derrière le livre ; comme dans un de ces romans policiers où, à travers deux petits trous découpés à même le journal, un espion espionne. Un habitué de l'observation, cependant, aurait tout de suite compris le sens à donner à cette scène. Cet homme, qui lit debout, attend l'autobus. Il sait, par expérience, qu'il peut rater son autobus s'il se concentre exclusivement sur le livre. Il sait également qu'il pourra difficilement comprendre ce qu'il lit et qu'il devra recommencer sa page une dizaine de fois si, au contraire, il lève constamment la tête pour voir si son autobus arrive. Il a donc trouvé une façon de lire en toute quiétude en se positionnant de façon à maximiser l'utilisation de sa vision périphérique.

Notre lecteur ne regarde même pas en direction des autobus. Il a mis au point une technique de loin supérieure : il trouve un passager régulier qui prend le même autobus, se plante à sa droite avec son livre et, aussitôt qu'il détecte un mouvement, du coin de l'œil, il baisse son livre et monte à bord de l'autobus. Pourvu que la personne choisie ne décide pas d'aller visiter sa mère ou n'ait pas changé de quartier le jour même, la technique est infaillible.

Tout à coup, l'homme baisse le livre, confirme d'un regard rapide la destination de l'autobus qui vient de s'arrêter devant lui et monte à bord. L'autobus est bondé. Serrés comme des sardines, hommes, femmes et enfants se disputent un petit morceau de territoire ambulant selon les règles de l'art. Ceux qui sont assis s'accrochent à leur prise cependant que ceux qui sont debout examinent d'un œil furtif le moindre geste des assis. La guerre que se livrent ces deux clans ne connaît aucun répit. Quand un des assis se lève, la horde des debout s'agite d'un commun intérêt jusqu'à ce que le siège convoité soit occupé. Un soupir collectif s'ensuit et tout un chacun réexamine l'échiquier humain dans le but de planifier le prochain coup.

Notre homme, livre sous le bras, regarde à gauche et à droite. Il se hisse sur la pointe des pieds afin de détecter, dans le fin fond de l'autobus, un banc qui aurait échappé aux autres passagers. Rien. Résigné, il fourre le livre dans son attaché-case et empoigne une des ganses qui dansent paresseusement au-dessus de sa tête. Il reste debout pendant une bonne quinzaine de minutes ; jusqu'à ce que le siège immédiatement à sa droite se libère. Il se laisse alors tomber de tout son poids et, avant même d'avoir pu s'asseoir confortablement, il glisse une main dans son attaché-case et en ressort le livre rangé quelques minutes plus tôt.

Ce siège est loin d'être idéal pour la lecture : il fait face à l'allée centrale de l'autobus et, parce qu'on y est assis de côté et non de front, le moindre virage ou freinage vous entraîne d'un côté ou de l'autre. Le lecteur doit constamment combattre les forces centrifuges à l'œuvre. De plus, le va-et-vient ininterrompu des passagers qui montent et descendent constitue une source de frustration constante pour qui tente de se concentrer sur ce qu'il lit. Quoi qu'il en soit, notre homme ouvre son livre.

Il s'agit du dernier roman d'un auteur américain bien connu. Le personnage principal, un homme d'une trentaine d'années, se promène en autobus du matin au soir. Il est écrivain de profession et a décidé, pour son dernier roman, de s'asseoir là où s'était assise, tant d'années plus tôt, cette femme noire bien connue qui avait refusé de laisser son siège à un homme blanc. Il parcourt ce même trajet inlassablement et observe la dynamique entre Blancs et Noirs. Cet incident, déterminant dans la lutte contre la ségrégation, fait maintenant partie de la psyché américaine, de l'imaginaire collectif. Dans la mesure où l'auteur peut l'intégrer de façon intelligente à une trame moderne, ce « lieu commun littéraire », comme il le nomme, lui vaudra sans doute le prix Pulitzer.

Pendant ce temps, dans notre propre autobus, notre homme, toujours aux prises avec les forces centrifuges, lève la tête afin de trouver un endroit plus propice à la lecture. Aucun siège ne s'étant libéré, il retourne à son livre. Il lit présentement une réflexion du personnage principal. Ce dernier trouve malheureux de vivre à une époque où le regard d'autrui et le jugement qui l'accompagne déterminent nos moindres gestes. Comme si le siège de notre entendement était situé à l'extérieur de notre propre corps ; comme si notre conscience individuelle n'était en fait rien de plus que la somme totale des perceptions qu'ont les autres de nous. Et, de remarquer le personnage avec emphase : « Nous succombons toujours à l'impératif du paraître. »

Alors qu'il lit ces lignes, une chose étrange se produit. L'homme pense à ce qu'il vient de lire au sujet de la propension de l'homme moderne à agir en fonction du regard de l'autre et se demande si cette analyse vaut pour lui. Parce qu'il a cessé de lire, il a pu lever la tête et, ce faisant, il a vu qu'une place se libérait à l'arrière de l'autobus. Entre le moment où il a vu la personne se lever et, une fraction de seconde plus tard, le moment où il a décidé de se lever, plusieurs choses se sont passées : premièrement une vieille femme, Noire, s'est assise à sa droite ; deuxièmement, son cerveau a fait un lien entre cette femme et la vieille Américaine du roman qu'il a entre les mains ; troisièmement, il n'a pas voulu « qu'on pense » qu'il était raciste en se levant au moment même où la femme prenait son siège et, quatrièmement, il s'est rassis en feignant de déplacer son chapeau afin que la dame ne s'asseye pas dessus.

L'histoire, si l'on peut utiliser ce terme, ne va pas plus loin. P. referme le manuscrit. Il ne sait trop quoi penser de ce court texte qui, lui semble-t-il, ne rime pas à grand-chose. S'il avait à le résumer à un ami, il lui dirait tout simplement : c'est l'histoire d'un homme qui lit. Il ne se passe rien, dans cette histoire qui n'en est pas une, car lire un texte de fiction, comme c'est le cas dans la nouvelle, n'est pas une action. Il s'agit d'une activité somme toute passive. Ayant déjà eu à étudier quelques classiques à l'école, P. se souvient qu'on lui demandait de parler non seulement des personnages mais, surtout, de l'action.

P. marche jusqu'à la table du garde de sécurité et y dépose le manuscrit, tout près de son propre chapeau. De retour à la malle, il commence à la vider de son contenu et s'aperçoit rapidement qu'il devra aussi cacher les livres. Puisque le cadavre prendra presque toute la place, il ne peut laisser les livres par terre ; cela mettrait la puce à l'oreille du premier venu. Il regarde autour de lui et conclut sans hésitation que la solution la plus efficace serait de glisser un ou deux livres dans chacune des valises de la première rangée. Pendant une dizaine de minutes, P. va donc de la malle aux valises et, tel un père Noël soucieux d'être équitable, y insère, selon l'espace disponible, un ou plusieurs bouquins.

Une fois la malle vidée de sa collection, P. regarde le corps du vieillard et se demande s'il devrait traîner la malle jusqu'au corps ou le corps jusqu'à la malle. Choisissant la deuxième option (plus pratique car il n'a pas à composer avec le poids et de la malle et du corps), P. retourne vers le cadavre. L'homme ne pèse pas grand-chose et P. peut l'emmener jusqu'au coffre à livres sans difficulté. Alors qu'il le soulève pour le glisser à l'intérieur de la malle, P. note la rigidité du corps. En effet, il n'arrive pas à faire bouger les membres du garde de sécurité. Le cadavre, toujours en position assise, ne rentrera peut-être pas dans la malle. P. l'installe quand même dans le fond de la malle. Même s'il est évident que les épaules et la tête du défunt sont plus hautes que les côtés de la malle, P. tente quand même de refermer le couvercle. « Il ne manque qu'une dizaine de centimètres », se dit-il. Sans y mettre tout son poids, ne sachant trop quel effet cela pourrait provoquer, P. tente de refermer le couvercle. Impossible. Notre homme est complètement figé dans sa position assise et, à moins de lui briser les jambes ou le cou, P. ne voit pas comment il pourra refermer le couvercle.

P. recule de quelques pas afin de regarder la malle. La tête dépasse toujours. Il pense alors à l'histoire qu'il vient tout juste de lire. Cet homme qui lit debout en tenant un livre devant son visage. Un homme qui a une tête de livre et une malle de livres avec une tête humaine ! Retournant au travail, il se dit alors que la position assise au fond de la caisse n'est qu'une possibilité parmi tant d'autres. Un peu comme dans ces jeux de bambins où il faut tourner la figurine d'un côté ou de l'autre avant de comprendre comment on peut l'insérer dans l'ouverture appropriée, P. s'empare des pieds du vieillard et les tire vers lui. Roger tombe sur le dos. P. recule de nouveau d'un pas : les tibias et les pieds dépassent. Il fait donc faire un autre tiers de tour à Roger. Cette fois, le postérieur du défunt dépasse de manière disgracieuse. Ayant, pour ainsi dire, fait le tour de la question, P. conclut que le cadavre est trop grand pour la malle. Ou la malle trop petite pour le cadavre.

Résolu à garder le cap et à ne pas changer son plan de match, P. part à la recherche d'une autre malle. Il circule d'allée en allée pendant plusieurs minutes avant de trouver un sac qui, à première vue, pourrait faire l'affaire. Il le traîne jusqu'à la malle de peine et de misère et l'ouvre devant Roger. L'énorme sac bleu, blanc et rouge contient de l'équipement de hockey et dégage une odeur de sueur plutôt désagréable. P. sort Roger de la malle. Il vide ensuite le contenu du sac de hockey dans la malle ayant contenu des centaines de livres et glisse Roger dans la poche nauséabonde. Il réussit ensuite à fermer le sac sans peine. Il classe alors le sac de hockey là où il l'a trouvé et se frotte les mains d'un air satisfait.

❏

Après avoir disposé du cadavre, P. marche jusqu'à la porte et tire le verrou de façon à ce que le livreur de chapeaux puisse entrer. Il se dirige ensuite vers le petit bureau sur lequel le pauvre homme a posé la tête pour la dernière fois. Il pose la main sur la chaise de métal et, d'un geste hésitant, s'y installe. Il sort aussitôt son calepin et ajoute un autre point à sa liste : attendre la livraison des chapeaux. P. appuie les coudes sur le buvard vert et pose son menton sur ses poings fermés.

On pourrait penser, à tort, que P. fixe la porte bêtement. Or, même si nous n'avons pas encore eu le loisir de parler de P. de façon détaillée, de brosser un tableau de sa personnalité et, à l'aide de cette technique éprouvée qui consiste à raconter son enfance, de comprendre l'homme qu'il est aujourd'hui, le lecteur attentif aura deviné que P. est un homme sérieux. Notre première impression de P. ne vient-elle pas, en effet, de cette image d'un homme qui, d'un geste précis, trace une petite ligne au bas de la page du document dont il vérifie l'exactitude, dans la marge de gauche, dépose son crayon à mine, ajuste sa cravate, époussette les pellicules parsemées çà et là sur ses épaules et prend la direction du bureau du patron d'un pas preste? Tout est là.

Même si nous avions décrit le bureau de P. qui, soit dit en passant, compte deux chaises, une table de travail, un classeur gris et un portemanteau en bois; même si nous avions ajouté qu'aucun tableau, aucune photo et aucune plante ne tente de donner à cet environnement de travail une couleur personnelle, et même si, postulant de manière à peine voilée un rapport obligé entre l'environnement de travail d'un individu et son moi profond, nous avions ajouté, qu'outre ces trois crayons, ce buvard vert, ce petit calendrier et ce téléphone noir, rien n'encombre ladite table de travail, eh bien cela n'aurait en rien changé l'impression créée par cette première image d'un homme qui dépose son crayon à mine, ajuste sa cravate... et tout le reste. La précision du geste, bien plus que la description de l'aire de travail, définit à la lettre l'homme que vous ne connaissez, justement, que par cette lettre: P.

P. est donc assis derrière la table de Roger. Il prend une grande respiration et se croise les bras, adoptant, sans s'en rendre compte, la position dans laquelle il trouva Roger plus tôt. L'épuisement ne naît pas que de l'effort physique.

Vivre une situation de stress ultime peut également mener le corps à vouloir se régénérer. Par le sommeil, bien sûr. C'est ainsi que P. s'assoupit là même où, quelques minutes plus tôt, il a découvert un homme ayant fermé les yeux pour la dernière fois. Cet homme, on le sait, est devenu, par un étrange concours de circonstances, l'un des objets qu'il avait pour mission de protéger avant sa mort : le contenu d'un sac. Un peu comme le croque-mort qui, après une vie à préparer des cadavres à l'enterrement, devient un cadavre que l'on enterre, le gardien est devenu l'objet gardé.

Le lecteur ne s'étonnera pas d'apprendre que P. va bientôt se mettre à rêver. Nous ne sommes pas en mesure d'accompagner P. dans l'aventure onirique que son cerveau va lui concocter, mais nous pouvons facilement imaginer la présence de certains symboles « classiques ». Par exemple, il serait tout à fait approprié de présumer que P. rêvera qu'il tombe. L'environnement, ou l'emplacement de la chute n'a pas d'importance. Que notre homme tombe de la tour Eiffel ou dans le Grand Canyon ne change rien à l'affaire. La chute, en ceci qu'elle symbolise le manque chronique d'affection ou la peur du futur, compte plus que le contexte de la chute. Dans le cas qui nous occupe, il nous est permis de penser que l'avenir incertain de P. est la source de son angoisse.

P. rêve peut-être qu'il est lui-même dans une valise jetée du haut d'un avion et qui jamais n'arrivera à destination. On l'imagine, la tête sortie de la valise, criant à tue-tête cependant qu'il plonge dans un gouffre sans fin. Parce que le cerveau est à même d'intégrer à nos rêves moult petits détails de notre vécu récent, il se peut que P. crie en allemand ou, plus probable encore, qu'un chapeau tombe à la même vitesse que la valise et ne croise jamais sa trajectoire, condamnant ainsi P., tel un nouveau

Tantale, à voir l'objet de sa quête jusqu'à la fin des temps sans jamais pouvoir l'atteindre. Mais il s'agit ici de pure spéculation. Tout ce que nous savons, c'est que ce rêve est de courte durée et qu'il prend probablement fin de façon brutale, car P. se réveille en sursaut quelques minutes à peine après avoir fermé les yeux.

Présentement, P. pense. Il pense que d'ici quelques minutes, les chapeaux entreposés dans la rangée « A à M » arriveront. Il n'aura plus qu'à trouver le sien (oui, il s'est approprié le chapeau), à s'assurer qu'il est en bon état et à quitter cet édifice de malheur. Évidemment, et comme toujours, l'inévitable question administrative se pose. Si P. prend tout bonnement le chapeau sans présenter le ticket que lui a donné son patron, il aura ni plus ni moins « volé » le chapeau. On imagine facilement la suite des choses : un patron aux anges qui remercie P. en le prenant dans ses bras. Il lui offre un cigare et un verre de ce délicieux cognac qu'il garde pour les occasions spéciales. Puis, quelques jours plus tard, un patron rageur qui fait venir P. dans son bureau et lui met une lettre sous les yeux d'un mouvement brusque. La lettre dit que, à la suite d'un début d'incendie, certains chapeaux ont dû être déplacés et que, malheureusement, le chapeau de Monsieur est introuvable.

Le patron exigerait alors des explications. Il poserait une série de questions rapides qui, au fond, n'auraient pas pour but de trouver des réponses, mais plutôt de démontrer l'impardonnable manque de jugement de P. dans cette affaire. Une des questions serait bien sûr la suivante : est-ce que le chapeau qui trône derrière lui depuis une semaine et qui fait sa fierté est bel et bien celui de Kabta (ou Kacta, Kadta, etc.) ou s'agit-il d'un chapeau quelconque que P. aurait acheté à un magasin d'occasion? P. devrait alors admettre soit son incompétence (il a été incapable de suivre la procédure requise pour aller chercher le chapeau), soit son crime (il a fait fi d'une règle adminis-trative plusieurs fois centenaire voulant que quiconque prend possession d'un chapeau signe préalablement un registre).

P. sort son petit calepin et écrit, en lettres majuscules : SCÉNARIOS : 1. Retourner au bureau et tout expliquer au patron (conséquence : le patron me taxera d'incompétence et me mettra à la porte sur-le-champ). 2. Attendre l'arrivée du chapeau, le prendre et retourner au bureau (consé-quence : dans environ une semaine, le patron me taxera d'incompétence, appellera la police et je finirai derrière les barreaux). 3. Attendre l'arrivée du chapeau, le prendre et...

Le son d'une sirène interrompt l'élaboration du troi-sième scénario. Une large porte, qu'il n'avait pas remar-quée, s'ouvre lentement et il voit apparaître un de ces petits monte-charges qui ont comme fonction de déplacer des objets trop lourds pour le commun des mortels : bois, briques, métal, chapeaux. Le véhicule avance à pas de tortue vers P. et s'immobilise à quelques centimètres du bureau, où il dépose une énorme caisse sur le sol. Le conducteur fait un signe de la main à P. et disparaît quelques secondes plus tard, refermant la porte derrière lui.

P. regarde la caisse. À son grand étonnement, les planches ne sont pas clouées ; on a tout simplement déposé le couvercle sur la caisse. P. le retire sans effort. Il voit alors seize chapeaux. P. prend le premier qui lui tombe sous la main. Il s'agit d'un vieux casque d'aviateur sans forme, brun, avec une bande de fourrure noire qui, on l'imagine facilement, a pour fonction de protéger du froid le visage du pilote. Alors qu'il le retourne pour mieux l'observer, P. remarque un petit bout de papier blanc relié au chapeau par une ficelle. Il lit l'étiquette : Howard Hughes (1905-1976). P. met le chapeau de côté et en choisit un autre, un feutre style gangster des années quarante. Il le pose sur sa tête mais, oubliant la présence du miroir, il ne peut en mesurer l'effet. Il le remet donc dans la boîte. P. fouille ainsi pendant plusieurs minutes avant de tomber sur le couvre-chef qui, en théorie, appartient à son patron. Il s'agit d'un petit chapeau à la Charlie Chaplin, noir et fort usé. L'éti-quette dit Franz Kafka (1883-1924). C'est ça : Kafka. P. se souvient maintenant du nom.

P. soulève le chapeau. Il le tourne et le retourne tel un objet étrange qu'il verrait pour la première fois et dont il ne pourrait deviner la fonction. Il tente de comprendre ce qui a pu motiver un homme tel le patron, un homme pouvant fort bien se payer tout ce qu'il veut, ce qui a pu le motiver, donc, à dépenser son argent pour pareil objet. Sur le plan de l'esthétique, ce petit couvre-chef n'a aucune valeur. Tout cirque qui se respecte compte, dans ses cartons, une multi-tude de petits chapeaux de la sorte. Le patron ne l'a donc pas acquis pour sa beauté. Pas plus qu'il ne l'a acheté pour le porter. Personne n'achète un chapeau sans l'essayer ! Qui plus est, le patron est un homme fier qui s'habille dans les plus grands magasins de New York. Ce chapeau, se dit P., doit « représenter » quelque chose pour lui. Il doit être non pas un objet, mais plutôt la représentation d'une idée ou d'une valeur qui lui est chère. Ne connaissant rien de l'œuvre de Kafka, P. n'est pas en mesure de spéculer quant aux valeurs que l'œuvre de l'écrivain aurait pu transmettre à ce chapeau, si tant est que les livres peuvent transmettre des valeurs aux chapeaux.

Il pose le chapeau sur sa tête, et une idée en jaillit. Même s'il n'a pas rédigé le point 3, dans son calepin, il sait maintenant ce qu'il va faire. Il sait maintenant que sa vie va changer, qu'il n'était pas vraiment la personne qu'il croyait être. Que cet homme, qui n'en avait que pour les colonnes de chiffres et les dossiers rangés au bon endroit selon la règle de l'art et les procédures en place, que cet homme, donc, n'était que mensonge. Pire : cet homme était un esclave contraint de mettre sa capacité de penser de manière rationnelle au service de gens qu'il ne connaissait pas. P. sait que l'époque des systèmes de gestion de l'information est révolue. Il va maintenant travailler pour lui-même ! Fini le temps des patrons lui demandant d'aller chercher des chapeaux !

Alors qu'il vient d'effectuer son dernier classement en plaçant le gardien, de peine et de misère, dans un sac de hockey appartenant à un certain Paul Doucet, de Montréal, P. Q., P. va oser faire, pour la première fois de sa vie, quelque chose de radical : il va voler un chapeau. Il ne peut même pas imaginer comment cette idée a pu lui traverser l'esprit. Il ignore par quel procédé neurologique la matière qui compose son cerveau a sécrété ce qu'elle avait à sécréter pour conclure que non seulement il doit voler un chapeau, mais que ce doit être celui qu'il est venu chercher pour le patron. Il ne sait pas non plus comment, une fois cette décision prise, il a pu en remettre et dire tout bas : « Non seulement je vais voler ce foutu chapeau, mais je vais demander une rançon. »

Le lecteur, pour qui ce récit ne constitue pas une première incursion dans le monde interlope du crime et de la délinquance, aura, lui, compris qu'il s'agit là d'un phénomène somme toute fréquent. Les petits crimes mènent leurs auteurs à des crimes plus graves. Le crime ne suit pas la logique de l'artisanat, où l'on se satisfait de petits bénéfices et de la nature répétitive d'une activité valorisante en soi. Le crime obéit plutôt à la logique du capitalisme sauvage : il doit prendre de l'expansion ou périr. Comment expliquer autrement toutes ces histoires de milliardaires qui volent des millions avant de se faire prendre la main dans le sac ?

P. jongle ainsi avec l'idée d'un crime banal, le vol d'un chapeau, pour ensuite passer, en l'espace de quelques secondes à peine, à celle d'un crime majeur : l'extorsion. Nous serons à même de voir, dans les pages qui suivent, si P. s'avérera un criminel pragmatique et saura contenir, voire étouffer la logique expansionniste de la profession qu'il s'apprête à épouser ou, encore, s'il succombera aux muses du crime à grande échelle et, Dieu nous en garde, ira jusqu'à assassiner le patron.

P. recule d'un pas, évalue la hauteur de la caisse et en déduit qu'elle contient quatre rangées de seize chapeaux. Ou encore : soixante-quatre chapeaux ! P. avait d'abord pensé demander une rançon de dix mille dollars à son patron. Ce chiffre est bien sûr arbitraire, car il ne sait pas combien le patron a payé pour le chapeau ni combien valent les chapeaux célèbres sur le marché noir. Cela dit, P. calcule que, s'il décidait de s'emparer de tous les chapeaux, il pourrait vivre pendant plusieurs années sans souci.

Alors qu'il pèse le pour et le contre de cette nouvelle proposition, une question d'ordre pratique vient briser le fil de ses pensées : comment obtenir la liste des différents propriétaires de chapeaux ? Et, pire encore, comment faire pour transporter tous ces chapeaux ? Il n'a ni camion ni voiture. Il ne peut quand même pas appeler un déménageur ! Non, tout compte fait, mieux vaut revenir à sa première idée et se limiter au chapeau du patron, quitte à demander vingt, voire trente mille dollars de rançon.

Dommage, se dit-il, que je ne connaisse pas Kafka, je serais plus en mesure d'évaluer le montant de la rançon. Était-ce un grand écrivain ? Qu'écrivait-il donc ? Des romans d'actions ? Des romans historiques ? Des textes bizarres comme cette histoire de lecteur qui lit dans un autobus ? Pourquoi le patron semble-t-il tant tenir à son chapeau ? Est-ce que, dans l'un de ses romans, il aurait parlé de sa famille ? Ou encore, Kafka faisait-il lui-même partie de la famille du patron ? Les noms Hatfield et Kafka n'ont rien en commun, mais quantité d'immigrants ont tout bonnement changé de nom à leur arrivée en Amérique ! L'idée d'un potentiel lien familial entre Kafka et M. Hatfield rassure P., car il crée la possibilité d'un lien objectif entre le chapeau et le patron.

Cette idée, de plus, l'attendrit. À cause de cela, mais aussi parce qu'il est foncièrement honnête et que tout homme honnête livre à ses contradictions une bataille de tous les instants, il revient, l'espace de quelques secondes, sur sa décision de kidnapper le chapeau. En effet, se dit-il, je n'ai qu'à sortir d'ici, tout expliquer au patron en riant et le tour sera joué. Le patron, pour qui l'essentiel est de prendre possession de son chapeau, me défendra si jamais des accusations criminelles étaient portées contre moi ; il défendra mon intégrité publiquement et ne ménagera aucun effort pour que ma réputation sorte indemne de cette ridicule aventure. Il ira jusqu'à m'offrir une promotion pour avoir su faire du succès de la mission l'unique considération dans la détermination des gestes posés et des décisions prises. Il dira aux représentants des médias, venus l'entendre s'expliquer publiquement dans le cadre de ce qui deviendra l'affaire du chapeau de Kafka : « Ce genre de situation n'est quand même pas rare dans notre monde bureaucratisé à outrance. »

Notre monde bureaucratisé à outrance ? P. n'en revient pas. A-t-il vraiment formulé cette pensée à l'endroit du monde ? A-t-il vraiment dit, en son for intérieur, les mots : notre monde ? A-t-il vraiment pris position de façon sarcastique « contre » le monde ? Alors qu'il imaginait ce que le patron « pourrait » penser et dire, une pensée, dormant au fond de lui, s'est échappée. Une opinion, qu'il ne croyait pas porter en lui, a surgi d'on ne sait où pour finir sur les lèvres imaginaires du patron. P. a, bien sûr, des opinions. Il est humain. Mais, à sa connaissance, il a toujours été en faveur du monde. Il a toujours défendu l'ordre établi, la façon de faire habituelle. Il a toujours préconisé le respect de l'expérience et lorsque l'innovation venait frapper à sa porte, il ouvrait avec beaucoup de précaution.

P., pourrait ajouter un sociologue, est foncièrement conservateur : il veut conserver le monde dans lequel il vit. Mais si P. semble encore hésiter entre la voie, optimiste, de la bonne volonté et celle, plus troublante, du crime, cette pensée « critique » sonne le glas de toute remise en cause de la voie criminelle. Pour le dire autrement : alors que P. a toujours soutenu que l'expérience ne peut que renforcer l'ordre établi, il constate que son expérience a opéré chez lui un changement fondamental.

Avant ses déboires avec les ascenseurs imprévisibles et les gardes de sécurité morts en devoir, P. n'a jamais trouvé problématique la bureaucratie. Celle-ci était pour lui synonyme de division des tâches, d'organisation rationnelle du travail et, donc, d'augmentation de l'efficacité dans la gestion des projets. Point à la ligne. Il n'avait rien à dire à ceux qui s'attaquaient aux structures trop lourdes de la société pour laquelle il travaille. Penser à la bureaucratisation comme à un fléau de « notre monde » porte donc un dur coup à sa conception du monde. Tel un homme qui s'accroche à un rêve rendu impossible par le contact avec la réalité, P. soupire, s'empare du chapeau de Kafka, de son propre chapeau et du manuscrit. Il se dirige ensuite vers la porte d'un pas lent et résigné.

❑

Une fois dans le couloir, P. se bute à une autre triste réalité : celle des ascenseurs. Pour la première fois depuis son enfance, une chose insolite se produit en lui. Alors qu'il regarde le petit bouton sur lequel il se doit d'appuyer pour quitter l'étage et ainsi commencer sa nouvelle vie monte en lui un sentiment presque oublié. Cela commence par ce que l'on nomme, faute de mieux sans doute, des papillons. Ceux-ci s'emparent de la partie inférieure de son abdomen et, tels les monarques remontant vers le nord une fois par année, ils se mettent à tourbillonner tout autour de son cœur, qui réagit à leur attaque en se mettant à battre un peu plus rapidement et, lui semble-t-il, un peu plus « fort ». Vient ensuite une chose encore plus bizarre : les portes de l'ascenseur prennent une allure floue et dansent devant ses yeux. En quelques secondes, ce qu'il percevait parfaitement se dissout en une image imprécise et fluide. P. pleure.

Les portes s'ouvrent. L'ascenseur semble une caverne maudite par où il faudrait obligatoirement passer pour pouvoir un jour revoir le soleil. P. y pénètre tel un condamné résigné à quitter le monde des hommes. Ses épaules affaissées ressemblent à celles des hommes que l'on bannissait à tout jamais du village ancestral. Sa tête inclinée n'est pas sans rappeler celle des femmes qui s'avançaient vers les bûchers de la grande Inquisition. Quand les portes de l'ascenseur se referment derrière lui, P. laisse échapper le soupir de celui qui a tout perdu ou de celle qui ne reconnaît plus personne. Cet engin mécanique, régi par des principes scientifiques, ne devrait provoquer aucun sentiment. Nous vivons dans un monde mécanisé et tous les jours nous utilisons des appareils dont nous ne comprenons pas le fonctionnement, ce qui ne nous empêche pas de leur faire confiance. Mais un lien de confiance s'est brisé entre P. et ce monde mécanisé, ce monde inventé par des hommes pour répondre aux besoins des hommes. Et ce bris de confiance a eu une répercussion plus tragique encore : il a rompu le lien qui unissait P. aux hommes.

Lorsque P. a pénétré dans ce même ascenseur plus tôt aujourd'hui, il appartenait au monde. Tout un réseau social expliquait sa présence dans cet édifice : des parents qui s'étaient connus sur les bancs de l'école, s'étaient mariés à l'église et avaient eu un garçon, né à l'hôpital d'une petite ville du Midwest américain ; une éducation somme toute normale ; une année passée à Chicago durant laquelle il avait vécu chez son oncle et avait occupé divers petits boulots et, finalement, un employeur new-yorkais qui l'avait envoyé en mission à la recherche du chapeau d'un écrivain mort depuis longtemps.

Toute sa vie semblait l'avoir mené là, dans cet ascenseur. Et que dire de l'avenir qui l'attendait alors au terme de l'accomplissement de cette tâche peu banale ? La récompense ultime de son succès serait ressentie pendant des décennies. À court terme, P. s'attendait alors, bien sûr, à son salaire et, qui sait, à une petite prime à la performance. Mais, plus important peut-être, il s'attendait à de la reconnaissance de la part de son patron et de ses collègues, pour son travail bien fait. Il croyait que cette anecdote du chapeau de Kafka deviendrait la pierre angulaire d'une brillante carrière et que, à long terme, elle lui permettrait de gravir les échelons de l'entreprise. Il y ferait allusion non seulement lors d'événements mondains, mais également lors de conférences internationales où, à titre de conférencier invité, il irait discourir sur les aléas du succès, l'importance du travail bien fait et de la discipline personnelle. Mais ce futur glorieux ne sera pas.

Alors que P. s'apprête à appuyer sur le bouton et, ce faisant, à tourner le dos à une vie de travail honnête, il entend une voix crier :

— Un instant !

Instinctivement, P. interrompt son mouvement vers le panneau de contrôle et dirige plutôt sa main vers la porte

de l'ascenseur, qu'il retient, par courtoisie pour cette inconnue qui saute maintenant à bord.

— Merci, dit la jeune femme d'un air souriant.

— Heu… Quel étage? demande P. en fixant le panneau.

— Le rez-de-chaussée, s'il vous plaît, répond la jeune
femme.

P. appuie sur le bouton en question et recule de
quelques pas. Il tient le chapeau de Kafka dans sa main
gauche et le manuscrit pressé entre son avant-bras et son
thorax. Sa main droite, elle, ne sait trop où aller. Il la glisse
d'abord dans la poche de son pantalon mais la retire
aussitôt, croyant, avec raison, que cette posture lui donne
une allure par trop décontractée. Il la met ensuite dans la
pochette de son veston mais, avant même qu'elle n'ait
glissé jusqu'au fond, il la retire, imaginant facilement le
petit air aristocratique que cette position doit créer. À court
de poches et d'idées, il la laisse enfin pendre «naturelle-
ment» le long de sa jambe. Au grand dam de P., l'ascenseur
se dirige non pas vers le rez-de-chaussée, mais vers les
étages supérieurs.

— Vous avez peur du froid? lui demande la jeune
femme.

— Pardon?

— Je vois que vous avez deux chapeaux mais seulement une tête, dit-elle en montrant le chapeau de Kafka du
bout du menton.

— Ah oui. C'est-à-dire non, je n'ai pas peur du froid.
C'est un autre chapeau. Je veux dire par là que ce chapeau
m'appartient, bien sûr, mais que… à vrai dire je viens tout
juste de l'acheter.

— Je vois, dit la jeune femme.

P., en un geste rapide de la tête vers la gauche, regarde
la femme du coin de l'œil. En moins d'une seconde, il a

pour ainsi dire « saisi » son image et l'observe maintenant mentalement sans avoir à la regarder directement. Elle est blonde. Ses longs cheveux cascadent doucement sur ses épaules et prennent, tour à tour, des teintes d'or, des teintes de cuivre. Le cheveu est, comme on dit, soyeux. À n'en point douter, ce cheveu serait doux au toucher. P. s'aventure même à penser qu'il doit sentir bon. C'est la plus belle chose qu'il lui ait été donné de voir depuis longtemps.

P. toussote nerveusement et alors qu'il allait en rajouter sur l'origine du chapeau qu'il tient dans sa main gauche, l'ascenseur s'immobilise brusquement.

La jeune femme éclate de rire et dit : « Encore ! » Avant que P. ait pu faire quoi que ce soit, la femme se met à frapper violemment sur les portes de l'ascenseur en criant : « Au secours, nous sommes coincés dans l'ascenseur ! » P. est émerveillé. Cette femme n'a pas mis une seconde à réfléchir à la situation. Ou encore : en moins d'une seconde, elle y avait réfléchi et était passée à l'action. P. recule d'un pas devant cet étrange spectacle d'une femme qui frappe à deux mains sur les portes d'un ascenseur en criant « à l'aide »… le sourire aux lèvres !

— Venez m'aider, lui dit-elle alors, avec ce sourire qui jamais ne semble la quitter.

P. avance de quelques pas et, d'une main seulement, se met à frapper à son tour. La femme le regarde et, d'un air amusé, s'empare du chapeau de Kafka, le pose sur sa tête et dit à P. « Vous serez plus efficace comme ça ! » Après un moment d'hésitation, P. dépose le manuscrit par terre et se met alors à utiliser ses deux mains. Sans savoir pourquoi, il éclate bientôt de rire. Cela commence par un petit sourire mais, en moins de cinq secondes, P. rit aux éclats et frappe sur les portes de l'ascenseur comme si sa vie en dépendait.

S'il avait été seul dans l'ascenseur, P. aurait sans doute fermé les yeux pendant quelques secondes, histoire de faire le point sur la situation. Il se serait remémoré les mots de M. Fortunato et les questions de Mme Diaz. Il aurait ensuite regardé vers le haut, comme ce 99,4 % de gens coincés dans un ascenseur, pour s'assurer que le numéro de modèle y était encore bien écrit. Il aurait ensuite pris le combiné et donné l'information à Mme Diaz. Il aurait attendu l'appel de M. Fortunato et, à n'en point douter, il aurait été moins agressif envers l'employée de Up and Down Elevators. Mais cette procédure, sans doute plus rationnelle que celle qu'il met présentement en œuvre de toutes ses forces, ne sera pas nécessaire.

Au moment où P. s'apprêtait lui aussi à crier « Au secours ! », la femme cesse de frapper sur les portes et met son index sur sa bouche. P. s'immobilise. La femme tend alors l'oreille et, à la grande surprise de P., les deux prisonniers entendent clairement une voix leur disant qu'ils savent qu'ils sont là et qu'ils vont venir les chercher.

— Les secouristes devraient nous sortir d'ici sous peu, dit la jeune femme, à bout de souffle.

Elle porte toujours le chapeau de Kafka. P. recule de quelques pas. Il ajuste sa cravate. La femme dit alors :

— C'est la première fois que ça vous arrive ? »

P. répond spontanément :

— Oui.

Il ne sait pas pourquoi il a menti au sujet d'une chose aussi banale. Puis, il se dit que son instinct criminel se fait sentir et que dès lors que l'on choisit une vie de crime, il faut l'assumer jusqu'au bout. Si, à ce jour, il n'a jamais eu à se « protéger » et à dissimuler certains aspects de sa vie, il en est maintenant tout autrement. Sa mésaventure dans l'ascenseur se veut le premier chapitre de sa nouvelle vie et, à ce titre, il doit la taire. En effet, s'il n'avait pas été coincé à cet étage précis, il n'aurait pas cogné à la porte de la salle des valises. S'il n'avait pas trouvé, puis caché le corps du garde de sécurité, il n'aurait sans doute pas été là au moment où la caisse de chapeaux arrivait dans la salle. S'il n'avait pas conclu que sa seule option véritable était de voler le chapeau et, afin de ne pas déclencher l'alarme, de monter de nouveau dans l'ascenseur, il ne serait pas en présence de cette jolie femme qui porte présentement la preuve à conviction de sa culpabilité sur sa tête.

Alors qu'il attend les secouristes, P. se demande comment faire pour récupérer son chapeau. Il y a maintenant quelques minutes qu'ils ont entendu les voix leur dire que les secouristes étaient en route. La jeune femme s'est depuis assise dans un coin de l'ascenseur. Elle a sorti un livre de poche de son sac à main, puis elle a regardé P., dans les yeux :

— Ça vous embête si je lis un peu en attendant ?

— Pas du tout, a répondu P.

Or la voilà maintenant absorbée dans son livre, le chapeau de Kafka toujours sur sa tête. De temps en temps, elle l'ajuste selon la position de lecture qu'elle adopte, comme s'il lui appartenait depuis toujours. S'il lui dit : « Est-ce que vous pourriez me rendre mon chapeau ? », elle risque de penser qu'il s'agit là d'un couvre-chef peu ordinaire et de poser des questions. P. décide donc d'attendre un moment plus opportun. Cela dit, il sait pertinemment qu'une fois les secouristes arrivés, les événements risquent de se précipiter et la jolie jeune femme pourrait facilement déguerpir avec le chapeau de Kafka. Ce serait le pire des scénarios, car la preuve serait alors faite qu'il est non seulement un voleur, mais un voleur incompétent, puisqu'il se serait fait dérober le fruit de son crime par la première venue. Il n'ose même pas élaborer les conséquences d'un tel dénouement.

La femme éclate alors de rire. Debout devant le panneau de contrôle de l'ascenseur, tels ces garçons qui jadis vous demandaient «quel étage?», P. sourit à son tour d'un air poli et la regarde.

— Il faut absolument que vous lisiez cette nouvelle. Elle ne fait que quelques pages, lui dit-elle en lui donnant le livre.

P. ne pense même pas à tourner le livre de façon à voir le nom de l'auteur ou le titre du livre. Pour la deuxième fois en moins d'une heure, il se met tout bonnement à lire. Il s'agit d'un court texte intitulé «Borges et les mathématiques».

— Ah, Borges, dit P.

— Vous le connaissez!

P. se garde bien sûr d'admettre comment il a connu Borges, soit en fouillant dans une malle de livres qu'il voulait vider afin d'y placer un cadavre. Il dit simplement: «Pas beaucoup» et se met à lire.

Borges et les mathématiques

Dans son livre intitulé *On the Edge of the Book*, Cliff Thornston s'attaque à l'imaginaire labyrinthique borgésien. Au terme d'une étude de l'œuvre de Jorge Luis Borges qui dura quinze ans, le célèbre mathématicien américain affirme qu'il lui a été possible, à l'aide d'un logiciel qu'il a lui-même créé, de réduire à une donnée mathématique toute la création littéraire de l'écrivain argentin.

Cet Américain pour le moins excentrique, qui avoue n'avoir jamais lu «la moindre nouvelle» de Borges, dit avoir voulu prouver que la littérature et les mathématiques procèdent d'une même logique et, qu'en dernière instance, ces disciplines tentent de prouver la même chose: la finitude de l'univers. Deux disciplines qui procèdent de la même logique et tentent de prouver la même chose sont, aux yeux de Thornston, une seule et même discipline. La littérature n'existe donc pas, sauf comme sous-catégorie de la mathématique. Dans un texte qui explique sa démarche, publié dans le *New York Times*, Thornston écrit :

« J'ai toujours trouvé ridicules les prétentions universalistes de la création littéraire. Mais je suis un homme de science et c'est sans *a priori* négatif que j'ai entamé l'étude de l'œuvre de Borges. Personnellement, je n'ai rien à prouver, je veux faire avancer la science. Mes conclusions, et les équations que j'ai utilisées pour y arriver, parlent d'elles-mêmes. Ceux et celles qui voudront attaquer ces conclusions devront donc démontrer que j'ai commis une erreur de calcul. J'ai mis, en annexe du livre, toutes les formules utilisées et j'ai noté toutes les expériences avec la précision et l'objectivité que la rigueur et l'honnêteté intellectuelle commandent. »

Thornston explique que, dans un premier temps, il a remplacé chaque lettre des textes de Borges par le chiffre auquel elle correspond (1a, 2b, 3c…). Une fois l'œuvre entière de Borges numérisée (Borges devint : 215187519), Thornston se pencha sur la question de la ponctuation. Il avoue avoir cru pendant quelques années que cette problématique risquait de faire échouer son projet. Il y avait dans l'attribution de ces fonctions quelque chose d'arbitraire et de non scientifique. Lors d'une entrevue à la BBC en 1987, il alla même jusqu'à admettre que « la question de la valeur intrinsèque de la ponctuation relève peut-être plus de la philosophie que de la mathématique, en ceci qu'il s'agit non pas du sens à donner aux propositions mais de la relation qui unit, divise ou sépare des propositions porteuses de sens ».

Thornston consacra quatre ans à la question de la ponctuation avant de découvrir ce qu'il nomma « le principe de la rotativité fonctionnelle ». Thornston découvrit en effet que peu importe les fonctions qu'il attribuait aux différents signes de ponctuation (virgule = addition ; point et majuscule en début de phrase = ouverture et fermeture de parenthèse ; point-virgule = soustraction ; etc.), après 111 rotations de ces fonctions, il y avait un effet de stabilisation. C'est-à-dire qu'il était inutile d'attribuer telle ou telle fonction à tel ou tel signe de ponctuation : après 111 rotations, la réponse au paragraphe était « stable ».

Fort de cette victoire, il dit avoir eu un regain de confiance et s'attaqua à la problématique des paragraphes et des chapitres. Il conclut rapidement qu'il n'y avait pas de différence de fond entre les paragraphes, les chapitres et les nouvelles. Le savoir étant nécessairement cumulatif, il était logique que les données d'un chapitre ou d'un paragraphe viennent « s'ajouter » aux données du reste de l'œuvre. Thornston écrit à ce sujet : « Que les données d'une équation, d'une formule ou d'une hypothèse viennent corroborer ou infirmer les données de ce qui tenait lieu de connaissance auparavant ne change rien à l'affaire : la science est, par nature, cumulative et "accumule" ces différents savoirs, fussent-ils contradictoires. »

Ayant eu raison de la théorie, Thornston se lança corps et âme dans la démonstration. Il note que, pendant la première année, chaque fois qu'il tenta de synthétiser toutes les données des différents textes de Borges, le système informatique flancha. Un de ses pourfendeurs les plus farouches, le poète James Urquendt, ironisa que la prose borgésienne, habituée qu'elle était à la liberté, refusait de se laisser « mettre en boîte par une vulgaire machine ». Thornston répliqua dans une lettre ouverte au magazine *British Science* que « l'idée même d'une prose habituée à la liberté est un non-sens que seul un esprit médiéval peut formuler. Les lettres, les mots et les chiffres, n'en déplaise à M. Urquendt, sont des symboles qui renvoient soit à des concepts, soit à des faits. Or ni les faits, ni les concepts ne peuvent s'habituer à quoi que ce soit. Seul l'être humain a cette capacité. »

Grâce à des ordinateurs toujours plus performants et des logiciels toujours plus sophistiqués, Thornston réussit finalement à conclure l'expérience. On peut, à la lecture de *On the Edge of the Book*, avoir l'impression que le processus, pour ne pas dire la quête, s'avéra plus enrichissant que le résultat. En effet, après toutes ces années d'expérimentation, de doute et de patience, Thornston dit avoir ressenti « un léger malaise » une fois la réponse vérifiée. Je le laisse conclure : « Quand mon assistant me confirma que la réponse était la même depuis deux semaines, je me dis que l'expérience était concluante et que cette donnée était, scientifiquement parlant, la bonne. Je ne m'attendais cependant pas à ce que la vue de cette donnée, écrite sur un bout de papier par mon assistant, provoque en moi un tel malaise. À vrai dire, je ne savais trop quoi penser de ce chiffre. Je savais qu'il « représentait » la somme totale de l'œuvre de Borges mais, cela dit, quelque chose en moi voulait aller plus loin et « interpréter » ce chiffre. À ce jour, je me suis bien défendu de le faire, car ce serait aller au delà de ce que la science peut dire sur la réalité. De toute façon, dois-je le répéter, l'expérience n'ayant toujours pas été infirmée, je me dois de conclure que l'œuvre de Borges se résume à ceci : 1934 ».

Mil neuf cent trente-quatre ? P. remet le livre à la jeune femme d'une main tremblante et se contente de dire :
— Vous lisez beaucoup ?
— C'est mon métier, de répondre la jeune femme.
— C'est votre métier de lire ?

— Oui. Et d'écrire, bien sûr.

— Ah, vous êtes écrivain.

— Oui, à vrai dire, je vais être écrivain dans quelques mois.

Vous allez donc publier votre premier livre, dit P.

— Oui, c'est ça.

— Eh bien, bravo !

— Merci, dit la jeune femme en touchant du bout des doigts le chapeau de Kafka, un peu à la manière de ces cow-boys quand ils vous saluent.

— Et de quoi s'agit-il, si ce n'est pas trop indiscret ?

— Il s'agit d'un homme qui, depuis des années, tente de publier un livre au sujet de ses trois écrivains préférés. Un jour…

— Et qui sont-ils, demande P. ?

— Il s'agit de trois grands écrivains, les plus grands écrivains du vingtième siècle à mon avis : Jorge Luis Borges, Italo Calvino et Franz Kafka…

— Franz Kafka ! s'écrit P.

— Oui, le romancier tchèque. Vous ne l'aimez pas ? dit la jeune femme en redressant le chapeau sur sa tête.

— Heu, je ne le connais pas tellement, dit P. Je sais qu'il est mort il y a longtemps. Je sais qu'il portait de drôles de chapeaux, lance-t-il à la blague afin de changer de sujet.

— Ah oui, j'adore cette photo au chapeau. Vous faites bien allusion à la photo du jeune Kafka avec son chien ?

— Oui, celle avec le chien, répond P. machinalement, qui apprend du coup que Kafka a eu un chien.

— À vrai dire, ajoute-t-elle, le chapeau qu'il porte sur cette photo ressemble beaucoup au chapeau de votre deuxième tête.

Elle enlève alors le chapeau de Kafka pour l'examiner.

P. respire à peine. Cela ne fait pas cinq minutes qu'il a décidé d'opter pour une vie de crime en volant un chapeau et, comme si de rien n'était, cette femme, cette parfaite inconnue, s'apprête à découvrir le pot aux roses. P. n'en revient pas. De tous les ascenseurs, de toutes les tours à bureaux de toutes les villes d'Amérique, pourquoi fallait-il qu'elle choisisse le sien ? P. enlève à son tour son chapeau et se gratte le cuir chevelu frénétiquement, comme si le dernier commentaire de la jeune femme avait provoqué chez lui une réaction allergique violente et incontrôlable.

La femme, qui a regardé le chapeau sous tous ses angles, le montre alors à P. et dit :

— C'est incroyable, ne trouvez-vous pas qu'il y ressemble ?

P. est au bord de l'effondrement.

— Heu, oui, en effet, quoi qu'il me paraît un peu petit.

La femme regarde le chapeau de nouveau, le remet sur sa tête.

— Vous avez raison. Kafka, contrairement à ce que pensent les gens, était assez grand. Quoi que l'on peut être grand et avoir une petite tête, ajoute-t-elle en souriant.

— C'est ce que je pense aussi, dit alors P. en remettant, à son tour, son propre chapeau sur sa tête.

— Mais c'est quand même incroyable, renchérit la jeune femme.

— Oui, assez incroyable, répète P.

P. devient tout à coup convaincu que la jeune femme sait tout. Elle travaille sans doute pour une agence de sécurité. Il y avait probablement des caméras de surveillance dans la salle des valises et, de son bureau situé ailleurs dans l'édifice, elle a tout vu. Elle l'a vu entrer dans la salle des valises, prendre le pouls du garde de sécurité et cacher son corps dans un sac de hockey. Elle l'a observé alors qu'il faisait semblant de travailler pour l'agence des douanes et, inutile d'ajouter, elle l'a vu voler le chapeau et quitter la salle. Elle a peut-être même orchestré l'immobilisation de l'ascenseur de façon à pouvoir lui tirer les vers du nez. P. ne serait pas surpris d'apprendre que tout ce qu'il dit est présentement enregistré.

— Mais bon, la vie est faite de hasards, n'est-ce pas ? ajoute la jeune femme puisque P. ne répond pas.

Le téléphone de l'ascenseur sonne au moment même où s'installe cet étrange silence entre P. et la femme. P. étant déjà debout, il prend le combiné.

— Allô !

— Bonjour, mon nom est Sergio Fortunato et j'appelle au nom de Up and Down Elevators Inc.

— Heu, bonjour, dit P.

— Puis-je savoir à qui j'ai le plaisir de parler ? dit M. Fortunato.

— Heu…

— Tout va bien, monsieur ?

— Heu, oui, dit P.

P. se rappelle alors la conversation qu'il a eue avec Mme Diaz plus tôt aujourd'hui et décide de jouer la carte de la victime désorientée.

— Écoutez, dit P., je ne me sens pas très bien, mais il y a ici une autre personne qui pourrait peut-être vous parler.

— Ce serait parfait. En attendant, je vous suggère de vous asseoir et de relaxer. Si vous portez un chapeau, enlevez-le. Enlevez également votre veste et dénouez votre cravate. Au besoin, délacez vos souliers. Les secouristes devraient arriver sous peu.

— Vous allez envoyer des secouristes ? dit P. malgré lui.

— Oui, bien sûr, mais comme je vous le disais il y a un instant, allez vous asseoir et donnez le combiné à votre compagnon.

— D'accord dit P. et, se tournant vers la jeune femme : « C'est pour vous. »

La jeune femme le regarde d'un air amusé, se lève et prend le combiné. P. recule de quelques pas et se laisse choir par terre. La présence de la jeune femme lui avait permis d'oublier son triste sort pendant quelques minutes mais, avec Fortunato au bout du fil, la réalité le rattrape. Quelques secondes à peine après qu'elle eut pris le combiné, la jeune femme regarde au plafond et récite d'une voix précise le numéro de série de l'ascenseur. Elle a enlevé le chapeau pour pouvoir parler au téléphone, mais le fait tourner sur son index tel un jouet. P. veut le lui arracher des mains, mais il sait que tant qu'ils sont coincés dans l'ascenseur, il ne sert à rien de poser pareil geste.

— Oui, un homme d'une trentaine d'années, dit présentement la femme à Fortunato. Il semblait aller jusqu'à ce que le téléphone sonne.

P. comprend que Fortunato lui a demandé de décrire l'autre victime. La femme se tourne alors vers P. et lui répète, l'une après l'autre, les questions auxquelles il a dû répondre plus tôt.

— Souffrez-vous de diabète ?

— Non.

— Faites-vous du cholestérol ?

— Je ne crois pas.

— Êtes-vous claustrophobe, paranoïaque ou hypocondriaque ?

— Non.

— Êtes-vous sujet à des étourdissements ou à des nausées lorsque vous êtes confronté à des situations imprévues et potentiellement dangereuses ?

P. s'apprête à répondre non, comme il l'avait fait plus tôt, mais change sa réponse :

— Oui, il m'arrive d'avoir des étourdissements.

— Quel âge avez-vous ?

Encore une fois, afin de «brouiller les pistes», P. modifie sa réponse :

— Trente-deux ans.

— Êtes-vous marié ?

— Non.

— Avez-vous des enfants ?

— Non.

Sergio Fortunato pose alors les mêmes questions à la femme qui, comme P., n'est ni claustrophobe, ni paranoïaque, ni hypocondriaque. Elle a vingt-sept ans et n'est pas mariée. P. n'a pas bien entendu son nom.

S'ensuit un long silence ponctué de «d'accord», «oui», «non», «bon», «je vois», «je ne crois pas». P. note alors quelque chose d'étrange. M. Fortunato a «rappelé» les occupants de l'ascenseur bien que ceux-ci n'aient pas «appelé» la compagnie. La procédure décrite par Mme Diaz était on ne peut plus claire : Si, de l'avis du superviseur, l'information colligée par Mme Diaz n'est pas complète ou paraît suspecte, il peut appeler le client afin de compléter le formulaire. Or personne n'a appelé Mme Diaz. Qui plus est, c'est M. Fortunato qui, présentement, s'affaire à remplir le formulaire que Mme Diaz a pour «unique» tâche de remplir.

P. se demande ce que Fortunato peut raconter à la jeune femme. Sont-ils en train de planifier son arrestation ? Fortunato est-il en train d'expliquer à la femme comment s'y prendre pour obtenir une confession de P. ? Un de ces «oui» qu'il l'a entendu dire était sans doute en réponse à une question du genre : «Avez-vous récupéré le chapeau ?» Pris de panique et conscient de l'importance d'agir rapidement, P. décide de sortir son calepin.

Il tourne la page sur laquelle il avait commencé l'élaboration d'Opération cadavre. Il note d'une main tremblante sur une page blanche : Scénarios d'évasion. Un peu plus bas, il écrit le chiffre 1. Il le regarde pendant quelques secondes, puis l'encercle. Quelques secondes s'écoulent et il trace ensuite un tiret immédiatement après le chiffre. Il refait alors le cercle à deux ou trois reprises mais rien ne vient. P. ne sait pas par où commencer. Tel un écrivain confronté à la page blanche et qui, pour sortir de sa torpeur écrirait : « Je suis présentement confronté à une page blanche et j'essaie de me sortir de ma torpeur en écrivant que je suis confronté à une page blanche », P. écrit : « Comment sortir de l'ascenseur ? »

P. pense à l'édifice et au malaise qu'il a ressenti en le regardant du trottoir. C'est vrai qu'il a eu un drôle de sentiment, voire de pressentiment, avant même d'y mettre les pieds. Quelque chose en lui a voulu lui dire : « N'y va pas ! Si tu y pénètres, tu devras abandonner tout espoir de carrière. Tu n'en ressortiras pas indemne. » Quelque chose en lui. Mais quoi ? Quel est ce quelque chose qui n'est pas son cerveau, mais qui communique avec son cerveau à son insu ? Y a-t-il en lui un autre organe dont il ignore l'existence ? Un organe qui aiderait à la prise de décision ? Ou mieux encore : un organe dont le rôle serait la préservation de l'individu ? Il doit s'agir d'un instinct quelconque. Une forme d'intelligence animale qui, quoique impalpable, oriente les choix d'un individu lorsque sa survie est menacée.

— Ça va ? dit alors la femme en replaçant le combiné.

— Oui, merci, dit P. J'ai eu un léger étourdissement.

— Vous devriez peut-être enlever votre veste ; il commence à faire chaud.

P. se rend compte qu'il transpire abondamment. Non seulement remarque-t-il la sensation de chaleur provenant de ses aisselles, mais il sent la sueur perler sur son front, former des gouttelettes salées et descendre le long de son nez. Il sort un mouchoir de sa poche et, d'un geste rapide et quelque peu embarrassé, s'essuie le visage tel un enfant venant d'être semoncé par sa mère parce qu'il a une moustache de lait. Il enlève ensuite sa veste et défait le nœud de sa cravate, qu'il glisse dans sa poche.

— Vous devriez aussi enlever votre chapeau, dit alors la femme alors qu'elle-même remet celui de Kafka sur sa tête.

P. enlève son chapeau. Ce chapeau qui, contrairement à celui de Kafka, ne vaut rien parce que P. n'a jamais rien écrit. Ce chapeau qui n'est que feutre et colle parce que son propriétaire n'a jamais inspiré personne par sa prose. P. l'a acheté le printemps dernier, car il avait égaré celui que sa mère lui avait donné lorsqu'il avait quitté le foyer. Ce chapeau, le premier chapeau de P., perdu aujourd'hui, a vécu avec P. pendant des années. Il l'a accompagné dans sa recherche d'emploi. Il a vu des dizaines de films avec lui. Il a arpenté les rues de New York à la recherche de quelque chose à faire entre le boulot et l'heure d'aller au lit. Qui sait, s'il n'avait pas perdu ce chapeau, peut-être ne serait-il pas coincé dans cet ascenseur aujourd'hui.

Ce deuxième chapeau, qu'il dépose à l'instant par terre, tout près du manuscrit, n'est rien en comparaison. Il ne l'a pas cherché longtemps, car il n'est pas homme à passer des heures dans les magasins à la recherche « du » chapeau. Ce chapeau, son propre chapeau, ce chapeau qui ne vaut que les quarante dollars qu'il a payés il y a de cela un an, prend tout à coup une nouvelle valeur à ses yeux. Comme s'il était responsable des malheurs de P. Se peut-il qu'un chapeau change votre vie ?

P. regarde la femme. Elle a recommencé à lire. Qu'a fait cet écrivain pour mériter que des gens s'arrachent son chapeau après sa mort ? Pourquoi ce vieux feutre est-il si important ? Pourquoi des millionnaires, qui ont autre chose à faire, prennent-ils le temps de partir à la recherche d'un chapeau ? Il sait que les millionnaires collectionnent les voitures, les maisons, voire les avions. Mais les chapeaux ! Est-ce que le patron a une « collection » de chapeaux ou celui de Kafka est-il le seul qu'il veut posséder ? Pourquoi tant de gens veulent-ils à ce point ce foutu chapeau que son propriétaire décide de le vendre aux enchères ?

Alors que la femme tourne une page et change sa position de lecture, P. aperçoit clairement le titre de son livre : *Sur la route des maîtres : Kafka, Calvino et Borges* (nouvelles). Elle lit des nouvelles de Kafka ! P. ne peut retenir un soupir de satisfaction. La femme lève les yeux et lui demande :

— Ça va ?

— Oui, oui, tout à coup je me sens mieux.

— Je suis heureuse de l'apprendre.

— Je vois que vous lisez des nouvelles de Kafka.

— Oui, c'est un petit recueil de textes à la manière de Kafka, Calvino et Borges. Vous êtes amateur ?

— Non, pas vraiment, mais je comprends maintenant pourquoi vous avez pensé que mon chapeau ressemblait à celui de Kafka.

— Vous avez raison. Inconsciemment, j'ai dû faire un lien entre la nouvelle que je viens de terminer, la photo de Kafka et votre drôle de petit chapeau.

La femme prend alors le chapeau de Kafka dans sa main gauche. Elle le regarde en souriant et ajoute :

— La ressemblance est quand même étonnante.

P. sourit et tend la main pour reprendre son chapeau. Alors qu'il est sur le point de le saisir, les portes de l'ascenseur s'ouvrent et un pompier crie :

— Vite, sortez de là !

Les deux prisonniers sautent à l'extérieur de l'ascenseur et, une seconde plus tard, l'appareil tombe dans le vide. Les pompiers s'emparent des deux rescapés au moment même où l'ascenseur frappe le sol dans un terrible vacarme.

Avant même que P. ne puisse pleinement réaliser ce qui lui arrive, un pompier l'entraîne vers l'escalier situé au bout du couloir.

— Vite, ajoute le pompier en tirant P. par la manche.

— Qu'est-ce qui se passe ?

— Je n'ai pas le temps de discuter, il faut sortir de l'immeuble.

Au moment où le pompier prononce ces paroles, il pousse d'une main la porte de l'escalier sur laquelle P. a lu, plus tôt, les mots : « L'ouverture de cette porte déclenchera automatiquement une alarme ». Une fois dans la cage de l'escalier, P. met instinctivement sa main libre sur une de ses oreilles pour se protéger du son strident qui va retentir dans les prochaines secondes. P. dévale ainsi deux étages, mais l'alarme ne se fait pas entendre.

— Il n'y a pas d'alarme ? demande-t-il au pompier entre deux paliers.

— Non.

— Mais les avertissements ?

— Les avertissements ne sont là que pour limiter l'utilisation des escaliers. C'est psychologique, si vous voulez.

P. aurait donc pu ouvrir cette porte en toute tranquillité et descendre jusqu'au rez-de-chaussée sans déclencher d'alarme ! Il a élaboré des scénarios ridicules et il a opté pour l'ascenseur à partir d'une fausse prémisse ! P. dévale les marches machinalement. À chaque palier, il peut voir à quel étage ils en sont, car un chiffre écrit en gros caractères rouges sur le mur de ciment blanc témoigne de leur progression. Lorsqu'il passe de 14 à 12, P. lance :

— Il n'y a pas de treizième ?

— Bien sûr que non !

— Et pourquoi pas ?

— Ça porte malheur.

Chapitre 2

Max regarde le fleuve depuis environ dix minutes. Il n'est pas tout à fait six heures du matin et la brume, moins épaisse que d'habitude, flotte paresseusement au-dessus de l'eau glaciale du fleuve Saint-Laurent. Debout, à quelques mètres de la route, il enfonce un peu plus son chapeau sur sa tête, de façon à parer la brise qui vient du fleuve. Il fume une cigarette, la main gauche dans sa poche. Les clignotants de sa voiture, abandonnée sur le bord de la chaussée, palpitent de façon régulière, tel un cœur mécanique, dans la pénombre du jour naissant.

On dirait que l'homme cherche quelque chose, tant il fronce les sourcils. Mais il ne cherche rien. Il pense au fleuve. Il passe par ici tous les jours, mais c'est la première fois qu'il s'arrête pour regarder le fleuve. Il se dit que c'est stupide. Des touristes d'un peu partout dépensent des sommes faramineuses pour venir y observer les baleines et lui, qui habite à deux pas de ce site majestueux, ne se donne jamais la peine d'y jeter un coup d'œil. Max aime bien l'ironie et, alors qu'il termine la cigarette qu'il fume d'ordinaire dans la voiture, il sourit un peu en coin.

Il se demande si la même chose prévaut ailleurs dans le monde. Les gens qui habitent à deux pas de sites extra-ordinaires (pyramides d'Égypte ; muraille de Chine ; tour de Pise ; plages ou montagnes magnifiques...) ignorent-ils ces merveilles comme lui ignore son fleuve depuis cinquante-cinq ans ? Il y réfléchit pendant quelques secondes et se rend compte qu'il s'agit d'un non-sens. Un site faisant partie du quotidien d'un homme, lui étant coutumier, si magnifique soit-il, est par définition ordinaire à ses yeux. Ce qui serait extraordinaire, pour un habitant de Pise, par exemple, ce serait qu'un beau matin SA tour ait tout bonnement disparu. Ce fleuve fait tout simplement partie de sa réalité.

Cette pensée le réconforte, car il n'aime pas l'idée d'être anormal. Différent, oui, anormal, non. Il a ses habitudes, sa routine, ses préférences et il croit dur comme fer qu'une certaine logique humaniste guide ses choix. À l'université, il n'a pas fait que de l'administration publique et de la comptabilité. Il a lu les « classiques » de la philosophie et de la littérature. Il a fait de la politique étudiante. Il a milité pour un monde meilleur. Même s'il n'irait pas jusqu'à dire qu'il est prévisible, ce qui serait péjoratif, il se trouve raisonnablement cohérent. Voilà.

Cela étant dit, la question demeure la suivante : est-il normal d'ignorer la beauté de sa propre réalité simplement parce qu'on la côtoie de façon quotidienne ? Transposée à d'autres sphères de la vie, cette règle de la conséquence de la quotidienneté sur la perception de notre réalité est insoutenable. Si le contact répété avec une réalité nous empêche d'en percevoir la beauté, en est-il de même pour l'amour, l'amitié ? On ne pourrait ainsi aimer que ce qui est loin de nous ! Max trouve cette idée saugrenue et se dit qu'il est tout à fait raisonnable de simplement « découvrir » quelque chose que l'on a sous le nez depuis longtemps mais que, pour toutes sortes de raisons, on n'a jamais apprécié à sa juste valeur.

À Londres, par exemple, au moment où Max se rend compte que le fleuve Saint-Laurent est somme toute magnifique, un Anglais roulant en voiture le long de la Tamise tous les jours s'est-il arrêté pour la regarder enfin? Peut-être allume-t-il une cigarette en ce moment. Évidemment, il y a la question du décalage horaire, mais qu'importe: il regarde la Tamise comme Max regarde le fleuve Saint-Laurent. À la limite, deux hommes qui regardent deux cours d'eau en même temps se regardent un peu dans les yeux. Il aime cette trouvaille et ose la pousser un peu plus loin: deux hommes qui regardent deux cours d'eau en même temps scrutent l'infini. Pourquoi pas? Il regarde couler l'eau du fleuve et, inspiré, pousse encore un peu: deux hommes qui regardent deux cours d'eau en même temps contemplent Dieu.

Non, non, non! Là, c'est trop! Max n'est même pas croyant et il lui apparaît ridicule de mettre de l'avant des expressions, fussent-elles poétiques, qu'il ne peut assumer pleinement. Il revient donc à la version «infini». Il y réfléchit pendant quelque temps, puis la rejette du revers du cerveau. C'est une belle formule qui ne veut rien dire, au fond. Contempler l'infini rapproche plus du néant que de la réalité et le néant ne l'intéresse pas plus que Dieu. À la limite, et quoi qu'on en dise, l'homme ne peut que regarder l'homme. Et encore! Il revient donc à sa première version. C'est ça, il a l'impression de regarder cet homme dans les yeux. Il croit même savoir pourquoi il s'est arrêté aujourd'hui pour regarder sa Tamise alors qu'hier il était passé tout droit.

Il s'est levé plus tôt qu'à l'accoutumée. Il est ensuite descendu à la cuisine sans faire de bruit. Il a préparé son café en silence. Il avait moulu le café la veille afin de ne réveiller personne. Oui, tout était prévu. Il a bu son café, debout face à la fenêtre. En trois petites gorgées, comme d'autres font leur signe de croix le soir avant de se coucher. Rapidement, sans grande conviction. Un petit rituel visant à marquer le passage de la nuit au jour, à annoncer le lever du soleil. Au moment d'éteindre la cafetière, il a remarqué qu'elle portait un nom italien. Il s'est rappelé son premier voyage à Florence et, alors qu'il cherchait le nom de cette auberge de San Remo où il avait vécu pendant plus d'un mois, il a remarqué une petite tache orange sur le coin supérieur droit de la cafetière. Il a essayé de la faire disparaître avec l'ongle de son index. Rien à faire. Il a rincé sa tasse et l'a déposée doucement dans l'évier. Avant de sortir de la maison, il a pris son chapeau.

Max est satisfait de cette version des faits. Il sait que d'autres versions existent mais, pour l'instant, il trouve celle-ci particulièrement crédible. Il écrase sa cigarette sur le tronc d'un arbre et met le mégot dans sa poche. Il dit tout bas : « Il doit être en route à l'heure qu'il est. » Car plus il invente ce Londonien, plus il est sûr que, après avoir regardé la Tamise pendant quelques minutes, il s'est mis au volant de sa voiture et a quitté Londres. Il se peut aussi qu'il se soit rendu à l'aéroport, s'il avait décidé de se rendre en Amérique, par exemple. Il n'a pris que quelques effets personnels, un guide *Michelin*, quelques fruits et un vieux manuscrit, qu'il avait glissé dans une enveloppe jaune la veille. Il conduira pendant plusieurs heures et, le soir venu, il s'arrêtera pour la nuit. Il dormira peut-être dans sa voiture.

Max regarde sa montre. Il est presque 6 heures. Il sort une autre cigarette, l'allume, et prend une grande respiration, comme s'il comptait sur l'air salin du fleuve pour purifier ses pensées et ses poumons. Rien à faire. Il pense maintenant à ceux et celles que son Anglais a abandonnés ce matin. Il doit être marié et avoir des enfants, sinon il n'aurait pas filé à l'anglaise. Filer à l'anglaise ! Effectivement, à quoi rimerait cette histoire de café en silence, de quelques fruits pris à la dérobée et de manuscrit s'il habitait seul ? Une femme et des enfants vont donc se lever dans quelques minutes et s'apercevoir qu'il est parti. Ils vont le chercher. En vain.

Sa femme, elle, devinera tout de suite et fera comme si de rien n'était, de façon à ne pas inquiéter les enfants. Elle préparera le petit-déjeuner en retenant ses larmes. Tantôt une larme de rage, tantôt une larme de honte. Les enfants reviendront de l'école plus tard cet après-midi. L'aîné demandera à sa mère :

— Où est papa ? Il devait réparer mon vélo ce soir.

Elle répondra qu'il est parti en Amérique, en voyage d'affaires. L'aîné dira :

— Depuis quand voyage-t-il ?

Sa mère répondra que papa doit rencontrer quelqu'un de très important à New York. Un homme connu à travers le monde qui va l'aider à faire avancer son projet. L'aîné demandera :

— C'est quoi, le projet de papa ?

Sa mère dira qu'il s'agit d'un projet secret.

Max jette maintenant cette deuxième cigarette dans le fleuve. Il se sent mal pour cette femme qui doit mentir à son fils et qui, plus tard, mentira au plus jeune. Mérite-t-elle de voir sa vie chambardée de la sorte à cause d'un manuscrit ridicule ? Car Max sait bien que tout tourne autour de ce manuscrit. Que c'est à cause de lui que l'Anglais a quitté sa famille. S'il pouvait lui parler, Max lui dirait de revenir chez lui, que ça ne vaut pas la peine de tout risquer pour quelques pages noircies de peine et de misère. Il lui dirait que la vie, la vraie vie, est ici, maintenant, et que les rêves déguisés en manuscrits ne sont que leurres.

Mais la vie est complexe. Il est facile d'inventer des personnages et de prendre parti, de les rabrouer ou de les choyer, d'en faire des victimes ou des héros. Il n'a pas fini

d'inventer cette femme, par exemple, qu'il lui donne déjà
le rôle de victime. Car, au fond, elle pourrait tout aussi bien
être au centre de la décision de son mari et jouer un tout
autre rôle. C'est là une technique éprouvée qui n'en
demeure pas moins efficace : faire croire au lecteur que le
bourreau n'est rien de moins que la victime et opérer, à la
toute fin de l'histoire, un renversement des rôles. Cette
femme, mère de deux enfants, a elle aussi ses petits secrets,
ses habitudes et ses rêves inavoués. Qui sait, c'est peut-être
elle qui pousse son mari à publier. Peut-être est-il heureux
d'écrire de temps en temps, une fois les enfants couchés.
Cela lui permet peut-être de se changer les idées. Un point,
c'est tout.

Et si c'était elle qui, depuis des années, lui disait qu'il a
un réel talent, qu'il ne peut se contenter de faire de l'écriture
un petit hobby. Qu'il doit aussi publier ! Elle lui dit peut-
être qu'il gâche sa vie à aligner des chiffres qui ne veulent
rien dire et à déplacer des sommes d'argent d'une colonne
à l'autre. Qu'il pourrait créer quelque chose de «concret».
Oui, c'est ça : elle oppose la nature nécessairement abstraite
des chiffres au caractère concret des mots. Là où les chiffres
ne peuvent que représenter des concepts (quantité, hauteur,
poids, etc.), les mots peuvent représenter les choses en soi.

Max en est là de ses réflexions lorsqu'il monte à bord de
sa voiture. Il conduit lentement et, de temps en temps,
regarde l'enveloppe jaune sur le siège du passager. Le
manuscrit, tel un passager taciturne, l'accompagne dans sa
mission.

❑

Au bout de quelques minutes, Max aperçoit une femme
sur le bord de la route. Elle fait de l'auto-stop. Max n'est
pas du genre à s'arrêter pour des auto-stoppeurs mais,

pour la première fois de sa vie peut-être, il ralentit, regarde la femme de plus près et immobilise la voiture. Elle porte une robe rose. Plus tôt ce matin, elle l'a choisie puis s'est regardée longuement dans la glace. Elle ne s'est trouvée ni belle ni laide, même si elle portait cette jolie robe. Elle n'arrive jamais à se trouver belle. Sa mère, la voyant traverser la cuisine d'un pas pressé, lui a demandé si elle ne trouvait pas cette robe trop élégante pour le restaurant. Pourquoi risquer de la tacher ou de la déchirer, surtout lorsque, sous son tablier, elle passera à peu près inaperçue ? N'a-t-elle pas réfléchi avant de porter sa meilleure robe pour aller servir des camionneurs et des agriculteurs ? Comment se fait-il qu'elle manque à ce point de jugement ? La jeune femme n'a pas regardé sa mère, a claqué la porte et a retenu ses larmes. Une fois à bord de sa voiture, elle a éclaté en sanglots.

Le restaurant n'étant qu'à cinq kilomètres de la maison de ses parents, elle a décidé d'arrêter quelques secondes pour sécher ses larmes. Elle a quitté la chaussée et a immobilisé la voiture à deux pas du fleuve. Elle a pris une grande respiration et est descendue de la voiture. D'un pas hésitant, elle a marché jusqu'à la berge. Une fois au bord de l'eau, elle a fermé les yeux et s'est laissé bercer par le clapotis du fleuve. Elle n'aurait eu qu'à faire quelques pas de plus et tous ses problèmes auraient été réglés. Le Saint-Laurent l'aurait portée ailleurs. Là où il n'y a pas de mères qui commentent vos moindres gestes, de grand frère qui vous attire dans la grange par mille moyens ou de clients qui se moquent de vous. Le fleuve ne l'aurait pas jugé. Il l'aurait prise et l'aurait portée au loin, vers des pays chauds. Des pays de vin et d'amour. Elle a pensé à l'Espagne, à l'Italie.

Elle a regardé sa montre. Elle pouvait prendre son temps. Elle est donc revenue à l'Italie. Si elle pouvait partir, c'est là qu'elle irait, a-t-elle décidé. Elle louerait une maison au bord de la mer. Il y aurait un jardin de fleurs, un bateau jaune et bleu et un petit chat noir qu'elle appellerait Gaspé. Elle porterait de longues robes de coton blanches et se rendrait au village une fois par semaine. Elle y rencontrerait éventuellement un homme. Cet homme serait tout le contraire des hommes qu'elle côtoie dans son propre village. Il serait cinéaste, chanteur d'opéra ou, pourquoi pas, romancier. Chez lui, il n'y aurait que des livres. Il écrirait de toutes petites histoires. Des fables, des contes. Des histoires invraisemblables où l'on vit dans des arbres, où la volonté d'exister suffit pour que l'on existe et où l'on vit pleinement sa vie malgré le fait que le destin vous ait coupé en deux. Bref, des histoires où l'imagination ne ferait aucun compromis. Ou, encore mieux, il travaillerait depuis des années, à l'écriture d'une œuvre majeure.

Chaque matin, l'écrivain, son amour, se lèverait très tôt et, tel un artisan qui ne se laisse pas bousculer par le temps, sculpterait les mots un à un, patiemment, sans jamais les brusquer. Un jour, il lui ferait lire son manuscrit. Elle serait sa première lectrice. Elle vivrait d'amour, d'histoires d'amour, de poisson et de vin rouge. Elle a alors regardé sa montre. Puis elle s'est souvenue que le vin rouge et le poisson ne font pas bon ménage. Cette idée l'a fait déchanter, car elle n'aime pas le vin blanc. Puis, à bien y réfléchir, elle s'est dit qu'elle n'aime pas tellement le poisson non plus ; qu'elle préfère les journées fraîches aux journées chaudes et que les hommes et les mères sont sans doute partout pareils. « Au diable l'Italie », a-t-elle hurlé rageusement.

Elle a consulté de nouveau sa montre et s'est dirigée vers la voiture. Une fois à son bord, elle a tourné la clé. Rien. Sauf un petit clic. Elle a soupiré : « Pas encore ! » Elle savait par expérience que rien ne servait d'essayer de nouveau. Son garagiste lui avait expliqué à maintes reprises qu'il ne pouvait plus rien pour cette pauvre voiture. Malheureusement, la femme ne pouvait se permettre d'en acheter une autre et, une fois par mois, elle devait marcher jusqu'au restaurant. Sauf qu'aujourd'hui elle porte une robe et des souliers qui ne se prêtent pas à une longue marche. Elle a donc décidé de faire de l'auto-stop.

Elle attendait sur l'accotement depuis quelques minutes lorsqu'une voiture a ralenti et s'est immobilisée à quelques pas de la sienne.

— Embarquez, dit Max, alors que la femme ouvre la portière.

— Bonjour, ma voiture est en panne. Vous allez jusqu'au restaurant ?

— Celui en bas de la côte ?

— Oui, Chez Sam.

— Oui, j'allais même m'y arrêter. Montez !

— Merci, dit la femme en s'asseyant.

À peine installée dans la voiture, cependant, elle se relève d'un bond :

— Pardon, je me suis assise sur quelque chose.

Max prend alors l'enveloppe et, alors qu'il s'apprête à la jeter sur la banquette arrière, la femme la saisit.

— Ça va, je peux la tenir.

Elle la dépose sur ses genoux et, se tournant vers Max :

— C'est votre manuscrit ?

— Comment ?

— C'est une blague. Je vous demandais si c'était votre manuscrit.

— Pourquoi pensez-vous que c'est un manuscrit ?

— Je ne sais pas, répond la femme, visiblement mal à l'aise.

Mue par un étrange besoin de s'expliquer à ce parfait inconnu, elle ajoute :

— Alors que j'étais sur l'accotement, j'imaginais un voyage en Italie, une maison pleine de livres et un manuscrit. Lorsque j'ai vu cette enveloppe, j'ai pensé : un manuscrit. C'est ridicule, je m'excuse.

Max n'en croit pas ses oreilles. Elle a deviné le contenu de l'enveloppe jaune en moins de deux secondes. Son projet secret ! Ce texte qu'il travaille et retravaille depuis des années et que seuls quelques éditeurs ont lu pour mieux le refuser. Personne, dans son entourage, ne sait qu'il écrit. Personne ne sait que, depuis exactement treize ans, il ne se passe pas une journée sans qu'il pense à son manuscrit. Peu importe ce qu'il fait, il réfléchit à la trame, aux personnages, au dénouement. Il se demande s'il est trop long, trop court. Il le relit en entier et change la voix narrative. Il le met au passé simple, puis remet le tout au présent de l'indicatif. Il inverse les chapitres pour créer du mystère et les remet ensuite en ordre chronologique afin de faciliter la lecture. Ce manuscrit qu'il cache dans un coffre-fort au bureau et qu'il n'apporte jamais à la maison de peur que sa femme ou l'un de ses enfants ne mettent la main dessus.

— Vous êtes de la région ?

— Oui et non, répond l'homme. Je viens de Montréal, mais je vis ici depuis une vingtaine d'années. Je m'appelle Max.

— Enchantée, moi, c'est Dora.

— Vous êtes de la région ?

— Non seulement suis-je de la région, je n'en suis jamais sortie, dit Dora dans un soupir.

— Vraiment !

— Oh, une fois ou deux, alors que j'étais toute petite, mon père nous a emmenés à Québec. Plus tard, je suis allée à Montréal voir deux concerts de jazz. Mais c'est tout.

— C'est quand même incroyable ! dit Max.

— Il y a d'autres façons de s'évader, n'est-ce pas ?

Dora regarde l'enveloppe jaune.

— Je ne vous ai jamais vu au restaurant.

— C'est vrai, répond Max. Je ne vais jamais par là le matin. Mon bureau est à une dizaine de kilomètres dans la direction opposée.

— Et ce matin ?

Max regarde sa montre. À l'heure qu'il est, sa femme et ses deux garçons se demandent sans doute où il est passé.

— Ce matin, c'est différent. Je vais aux États-Unis.

— Boston ? dit Dora.

— New York, répond Max

— New York, quelle chance !

Max regarde alors Dora. Voici une jeune femme qui n'a jamais quitté son coin de pays. Parce qu'elle habite à quelques kilomètres de la frontière et qu'elle travaille dans un restaurant, elle a sans doute rencontré des Américains et il est fort probable qu'elle parle anglais. Mais elle n'a jamais traversé la frontière.

— Vous allez rater la sortie du restaurant, dit soudainement Dora.

Max ralentit et immobilise la voiture, à quelques mètres de la sortie. Il se penche vers Dora et dit :

— Écoutez, je ne vous connais pas et vous ne me connaissez pas, mais je vais vous proposer quelque chose qui pourrait vous paraître étrange.

Dora met instinctivement sa main sur la poignée de la portière et s'apprête à bondir hors de la voiture quand Max lui dit :

— Voulez-vous m'accompagner jusqu'à New York ?

New York ! Cette ville qui est tout ce que son petit patelin n'est pas. Cet univers en soi qu'elle connaît pour l'avoir lu dans tant de romans et l'avoir vu dans tant de films. Au restaurant, il ne se passe guère un jour sans qu'elle entende un témoignage au sujet de la métropole américaine. Elle en connaît ainsi tous les attraits touristiques : de la statue de la Liberté à Staten Island en passant par l'Empire State Building, Carnegie Hall et une gamme de petits restaurants recommandés par ceux et celles qui en ont vanté les mérites.

Qu'il s'agisse de camionneurs ou de touristes, tous reviennent de New York avec cette même flamme dans les yeux. Dora n'a jamais quitté le Québec, bien que l'État de New York ne soit qu'à quelques kilomètres de sa maison. Elle y habite depuis le jour de sa naissance, le 14 avril 1972. Or voici qu'un inconnu lui propose cette aventure. Elle rougit à l'idée que ce soit dans l'espoir de quelque faveur sexuelle. Elle regarde sa robe, puis elle relâche quelque peu la poignée de la portière et remet sa main sur l'enveloppe jaune.

— Je suis comptable de profession, j'ai une femme et deux fils. Ce matin, j'ai pris mon manuscrit…

— C'est vraiment un manuscrit ?

— Oui, un manuscrit sur lequel je travaille depuis près de quinze ans. À ce jour, personne n'a accepté de le publier mais, la semaine dernière, j'ai eu une idée.

— C'est-à-dire ?

— Je lisais le dernier roman de Paul Auster et…

— Paul Auster !

— Vous connaissez ?

— Bien sûr, j'ai lu tous ses livres, claironne Dora.

— Vous avez donc lu *Brooklyn Follies*, lui dit Max.

— Oui, je viens tout juste de le terminer.

— Eh bien, vous savez qu'il y raconte une anecdote au sujet de Kafka.

— Heu, rappelez-la-moi, dit Dora en fronçant les sourcils.

Max relate alors comment Auster raconte que Kafka invente une histoire pour une petite fille qui a perdu sa poupée. Il explique que son roman à lui tourne autour du chapeau de Kafka et de la ville de New York. Or comme, de toute évidence, un des plus grands romanciers new-yorkais de l'heure est un fan de Kafka, il a pensé qu'il serait peut-être intéressé à lire son manuscrit et, pourquoi pas, à en signer la préface !

Si Paul Auster accepte de commenter mon roman, aucun éditeur ne pourra refuser de le publier !

Dora ne sait trop quoi répondre. D'une part, elle comprend la stratégie mais, d'autre part, elle trouve tout à fait loufoque de penser que Paul Auster accepte de jouer ce jeu-là. Ainsi, sans y avoir réfléchi vraiment, ce plan lui paraît voué à l'échec. Ne voulant pas blesser Max avec une remarque critique, elle pose alors une question somme toute technique :

— Vous avez écrit votre roman en anglais ?

— Non, mais c'est la beauté de la chose, Paul Auster lit le français. Il a même été traducteur au début de sa carrière.

— C'est quand même incroyable, répond Dora.

— Qui sait, il accepterait peut-être de le traduire vers l'américain, lance Max avant d'éclater de rire.

— On ne sait jamais, répond Dora qui, maintenant, se demande si elle n'a pas affaire à un fou.

Qui sait, cet homme essaie peut-être de l'entraîner dans un motel minable en prétextant une histoire abracadabrante. Il est peut-être passé au restaurant il y a deux semaines, alors qu'elle lisait *Brooklyn Follies* entre deux clients. Il aura remarqué à quel point elle dévorait ce roman. Elle se dépêchait alors de servir ses clients afin de retourner derrière le comptoir lire quelques paragraphes, tenant le livre à bout de bras dans une position des plus bizarres. Au fil des ans, elle a en effet tenté à maintes reprises de trouver une façon de lire qui lui permette d'être attentive au besoin de ses clients sans toutefois sacrifier son appréciation du roman. Après plusieurs tentatives infructueuses, elle en est venue à la conclusion que la méthode la plus efficace consiste à tenir le livre assez haut devant elle, de façon à ce que sa vision périphérique ne se trouve pas encombrée par autre chose que d'éventuelles mains exigeant son attention. Elle peut ainsi se concentrer sur son livre et rester attentive à ses clients en même temps.

Évidemment, cette technique fait en sorte que tout le monde sait qu'elle lit. Aussi, pour qui se tient directement devant elle, sa tête, cachée derrière le livre, est tout à fait invisible. Ce qui lui donne une drôle d'allure. Max n'aura eu aucune difficulté à deviner la détresse de la jeune serveuse et à comprendre que la lecture était pour elle une sorte de libération. Il n'est peut-être ni lecteur ni écrivain mais, avant de sortir du restaurant, il aura noté le titre du livre et se le sera procuré dès le lendemain. À vrai dire, il se peut qu'il ne l'ait même pas lu au complet. Il n'aura eu qu'à l'ouvrir au hasard et tomber sur cette anecdote de Kafka. Anecdote dont elle se souvient très bien maintenant. Pour gagner sa confiance, il n'a pas besoin de faire un résumé exhaustif du livre, il n'a qu'à évoquer le titre et un détail quelconque. Il invente cette histoire de manuscrit, de rencontre avec Paul Auster, de voyage à New York et le tour est joué. La seule chose véridique, dans toute cette affaire, se résume sans doute à cette déclaration selon laquelle il est marié et père de deux enfants.

Elle regarde l'enveloppe de nouveau. Elle n'a qu'à l'ouvrir et la preuve sera faite qu'il s'agit d'une sale machination. Elle prendra l'amas de papier blanc, voire le journal du samedi, le sortira d'un geste théâtral, et voilà ! Il n'aura qu'à reconnaître l'infâme guet-apens. Elle sortira ensuite de la voiture en un bond et marchera jusqu'au restaurant. Une fois à l'intérieur, elle enfilera son tablier et une autre journée de misère commencera.

Voilà ce que la raison la plus élémentaire dicte à Dora. Mais chez l'humain, la raison et l'intuition servent de contrepoids et empêchent, tour à tour, la domination de l'une ou de l'autre de ces manières de lire le monde. Quand l'intuition suggère une démarche ou une façon d'appréhender une situation quelconque, la raison se lève d'un bond et exige des comptes. Le contraire est aussi vrai, car la raison ne peut pas toujours gagner. Dans le cas qui nous occupe, l'intuition joue le rôle d'instinct de préservation car, si Dora tombe dans un piège, elle pourrait payer de sa vie son erreur de jugement, pour reprendre les mots de sa mère. Mais au lieu de se fier à cet instinct de préservation, qui lui dicte de prouver, de façon rationnelle, le bien-fondé de ce qu'elle désire, Dora regarde Max dans les yeux et lui demande :

— Il vous attend ?

— Paul Auster ?

— Oui. Il sait que vous existez ?

— Non, mais je sais plus ou moins où il habite. Je sais qu'il aime marcher avec son chien et, bien sûr, j'ai sa photo.

— Vous allez donc errer dans les rues de New York dans l'espoir de le croiser ? dit Dora.

— Non pas les rues de New York, mais plutôt celles d'un quartier en particulier, à Brooklyn.

Max a donné cette réponse sans grande conviction. Comme s'il n'avait d'autre choix que d'y croire. Dora comprend alors que sa propre détresse n'est peut-être pas pire que la sienne. Voilà un homme qui croyait se libérer en écrivant et pour qui la quête de libération prend maintenant la forme d'un boulet. Comme si l'évasion se faisait prison. Il a pris la plume pour échapper à la routine, mais l'angoisse du train-train quotidien s'est transmuée en une fixation maladive : publier à tout prix. Il se trouve à bord d'un véhicule, l'écriture, dont il ne contrôle ni la vitesse ni la direction. Tel un passager impuissant, il attend tout bonnement la collision inévitable qui, elle, mettra un terme à sa course.

Max voit bien que Dora a des doutes. Le contraire aurait été étonnant. Il sait que son histoire n'a de sens que dans la mesure où elle reste une idée, un concept imaginé. Du moment que l'on tente de démontrer qu'elle pourrait prendre forme, cette idée s'effondre sous le poids du bon sens. À la limite, l'histoire d'un homme qui veut rencontrer Paul Auster pour que ce dernier lise un roman au sujet d'un homme parti à la recherche du chapeau de Kafka ferait peut-être un bon roman. Difficile d'en juger à ce stade-ci.

— Écoutez Dora, il s'agit bien sûr d'une affaire complètement irréalisable si on s'y attarde un tant soit peu. Penser que ma seule chance de faire accepter mon manuscrit passe par une rencontre fortuite avec l'un des plus grands romanciers américains de l'heure ne passe pas la rampe. Pas plus que de penser que, dans une ville de plusieurs millions d'habitants, j'aurai la chance de croiser Paul Auster et de lui dire : « Pardon, M. Auster, auriez-vous l'obligeance de m'accorder quelques minutes de votre temps ? » Et si vous croyez que cet aspect de mon plan manque de rigueur, que dire de cet autre volet selon lequel, une fois le hasard ayant bien fait les choses, Paul Auster accepte de me parler, de lire mon manuscrit et d'écrire une préface ! Et tout cela en quelques jours, de façon à ce que je puisse rentrer chez moi et dire à ma femme : « Tu ne devineras jamais qui j'ai rencontré à New York ? » Mon plan donne un nouveau sens au roman de Paul Auster : c'est de la folie que d'aller à Brooklyn !

— En effet, dit Dora, soulagée.

— Écoutez Dora, à la fin du *Procès*, Kafka lâche cette phrase sublime au moment même où tout semble perdu : « La logique a beau être inébranlable, elle ne résiste pas à un homme qui veut vivre. » Eh bien, Dora, je veux vivre. Et vous ?

Il y a quelques instants à peine, Dora se demandait s'il ne valait pas mieux en finir une fois pour toutes. En regardant le fleuve, elle s'est dit qu'elle n'aurait qu'à faire quelques pas de plus et tous ses problèmes seraient réglés. Autrement dit, elle était sur le point de conclure qu'elle ne voulait plus vivre. Et voilà que cet homme, un inconnu, lui pose la question à brûle-pourpoint : voulez-vous vivre ? Est-ce un hasard ou le fruit d'une machination divine tout aussi mesquine qu'improbable ? Est-ce que ce dieu en qui elle ne croit plus depuis une quinzaine d'années a soudainement décidé de se faire sentir ? Est-ce qu'il aurait mis, comme le prétend cette histoire de son enfance, un étranger sur son chemin comme il a mis cet ange sur celui de la Vierge Marie ? Est-ce là l'unique procédure possible : attendre jusqu'à ce que la personne soit sur le bord du gouffre, à quelques secondes de la décision finale pour ensuite dire : « Hé ! Je suis là, du haut de cette ridicule majuscule ! » Mais où était-il pendant toutes ces années ? Est-ce qu'il la regardait d'un air distrait lorsqu'elle se faisait traiter de « pauvre » et de « pouilleuse » à l'école ? Est-ce qu'il regardait ailleurs cette nuit de Noël où son frère la viola pendant que ses parents s'agenouillaient devant le Père tout-puissant à la messe de minuit ? Où diable était-il pendant toutes ces années ?

La voiture ronronne à quelques mètres d'une vieille affiche sur laquelle on peut lire : Chez Sa. Le *m* est tombé, il y a quelques années, et personne n'a cru bon de le remplacer. Le cousin de Dora, Michel, l'a trouvé au printemps alors qu'il cherchait des bouteilles vides le long de la route. Il l'a traîné sur dix kilomètres pour ensuite l'installer dans sa chambre à coucher. Dora fixe présentement ce *m* manquant et se demande si elle veut vivre. Elle se demande si, tel ce panneau pathétique, amputé de son *m*, elle n'a pas, elle aussi, perdu quelque chose chemin faisant. Elle aime croire qu'il lui reste sa dignité, mais qu'en est-il de son amour-propre ou de cette confiance en soi dont on dit qu'elle est la clé du bonheur? Est-ce qu'elle aussi a oublié de remplacer une quelconque lettre tombée à la suite d'une tempête amoureuse ou familiale? *A* comme dans ambition? *B* comme dans bravoure? *C* comme dans courage? C'est tout un alphabet qui manque à l'appel, se dit-elle alors que des larmes lui montent aux yeux. Un alphabet de déception et de désespoir.

Présentement, elle n'a pas d'amoureux et a peu d'amis. Ses amis, immanquablement les amis de son homme du moment, disparaissent sitôt la relation terminée. Pire encore, ses passe-temps sont ceux de ses amants: quilles avec Robert; plein air avec Gaston; musique jazz avec Bill. Ces hommes ont tout gardé d'eux-mêmes et de leur routine lorsqu'ils l'ont quittée. Robert s'est sans doute trouvé un autre partenaire de quilles; Gaston continue d'explorer la forêt boréale sans elle cependant que Bill savoure son jazz, les yeux fermés, un verre de Courvoisier à la main. Et elle, qu'est-ce qu'elle fait? Que lui reste-t-il de ses relations? Quelques vêtements offerts en cadeaux lors d'une promenade dans Charlevoix. Quelques disques de Miles Davis qu'elle n'écoute plus, car les notes font immanquablement remonter en elle des souvenirs trop amers. Rien de ce qu'elle a vécu ne lui appartient. Rien de ce qu'elle a été avec ces hommes ne fait partie de sa vie.

Son regard quitte enfin le *m* manquant et se pose de nouveau sur le manuscrit. Cet inconnu, ce Max, s'il s'agit de son véritable nom, a « son truc » bien à lui. Sa bouée. Il s'agit d'un roman qu'il travaille et retravaille depuis des années. Comme elle, il a lui aussi dû traverser de durs moments, mais il s'est accroché à une chose bien précise : un manuscrit. Qui sait ce qu'il a dû sacrifier pour que son rêve demeure intact. Elle ne doute pas que sa présente stratégie soit vouée à l'échec. Il ne rencontrera pas Paul Auster. Il n'obtiendra pas de préface pour son manuscrit et il devra le travailler de nouveau avant de l'envoyer chez un éditeur pour une énième fois. Dans quelques jours, ils seront de retour à la case départ. Max dans sa famille, elle au restaurant.

Alors qu'elle s'apprête à répondre qu'elle ne peut pas abandonner sa mère et son emploi, qu'elle ne le connaît pas et qu'il s'agit d'une aventure trop folle pour elle, une voiture apparaît tout près de la leur. Le conducteur ralentit, regarde à l'intérieur puis, lentement, passe son chemin. Quelques mètres plus loin, il tourne à droite et gare sa voiture sous l'enseigne au *m* manquant. Dora n'a pas reconnu l'homme, mais elle soupçonne que, lui, l'a reconnue. Il va entrer chez Sam dans quelques secondes et annoncer à tout le monde : « Les gars, vous ne devinerez jamais ce que fait la petite Dora avant son quart de travail ! » Ou enfin, quelque chose du genre. Lorsqu'elle va entrer à son tour, tous les regards vont se tourner vers elle.

Ces hommes, qu'elle sert avec le sourire jour après jour, vont ricaner et se faire des clins d'œil complices. Avant même qu'elle ait fini d'attacher son tablier, l'un d'entre eux va laisser tomber un mot assassin. Pour eux, ce ne sera qu'une petite taquinerie. Pour elle, une injure de plus. Elle ne sait pas qui le fera ; sans doute un de ses préférés qui, de par son statut justement, se croira tout permis. Il se pourrait aussi que son cousin Michel, ayant réussi à s'extirper du lit à temps pour aller travailler, assume le rôle d'insulteur public. Tout est possible.

— Écoutez Max. Je n'ai pas un sou sur moi. Je n'ai aucun vêtement de rechange. Je vais perdre mon boulot et faire désespérer ma mère si je ne sors pas de votre voiture.

Max attend quelques instants. Voyant que Dora ne fait aucun geste pour sortir, il tourne la clé et, lentement, appuie sur l'accélérateur. Il roule à moins de dix kilomètres/heure pendant quelques secondes, puis immobilise la voiture. Dora ne dit rien. Elle ne fait rien. Elle regarde droit devant. Il retire alors son pied du frein et, doucement, accélère. Dora regarde les arbres défiler de plus en plus rapidement. Ceux qui sont à quelques mètres de la route deviennent bientôt un rideau de vert et d'orange ininterrompu. Elle ferme les yeux pendant quelques secondes et lorsqu'elle les ouvre de nouveau, elle voit le reflet de son visage dans la glace, baigné de larmes. Elle se sent libre.

Pendant de longues minutes, les deux passagers ne disent mot. La voiture américaine avance sur le bitume noir en un grondement on ne peut plus familier. Chaque jour, des millions, voire des dizaines de millions d'Américains s'enferment dans un engin de la sorte. Certains y vivent plusieurs heures par jour, allant jusqu'à y prendre leur repas ou y dormir entre deux réunions. Des amants s'y embrassent pour la première fois, appuyés sur la portière, à quelques pas de la résidence familiale. Des enfants y naissent sur les banquettes, des cadavres sont retrouvés dans le coffre arrière. De jeunes adultes, en route pour leur première entrevue, y répètent les grandes lignes de leur performance à venir. Combien y meurent d'une mort violente, victime d'une seconde d'inattention ou d'une manœuvre fatale. Décidément, toutes les phases de la vie se vivent dans la voiture et voici Dora, ici, maintenant, à vingt-huit ans, liant son destin à celui d'un homme au volant d'une voiture roulant à la rencontre improbable de Paul Auster.

Certains automobilistes vont vers de grands espaces verts ; d'autres, comme Max et Dora, se dirigent vers une grande ville. Vu des airs, le parcours de la Ford semble tout à fait logique. On voit bien que si l'on suit la tranchée creusée à même la forêt, la voiture arrivera effectivement à New York. Présentement, Max conduit comme s'il combattait une terrible tempête de neige. Penché quelque peu vers l'avant, les deux mains sur le volant, il semble nerveux. Dora, quant à elle, a relâché la poignée de la portière depuis quelques secondes. Force est de constater qu'elle s'est convaincue du bien-fondé de l'expédition. La première à briser le silence, elle dit :

— Qu'est-ce qu'il raconte au juste, ce fameux manuscrit que Paul Auster va adorer ?

Max, soulagé, prend une grande inspiration et se laisse choir dans son siège.

— Il s'agit d'une histoire assez simple au fond. Une histoire de chapeau.

— De chapeau ?

❏

Pendant l'heure qui suit, Max raconte les péripéties de ce pauvre type, un commis ou un comptable, l'histoire ne le dit pas vraiment, mais laisse deviner un travail morne et répétitif. Un jour, il part à la recherche d'un chapeau ayant appartenu à l'écrivain tchèque Franz Kafka. Il s'agit d'une histoire tantôt sombre, tantôt tarte à la crème. Lorsqu'il interrompt son propre récit pour demander à Dora si elle veut arrêter pour prendre le petit-déjeuner, P. et la femme de l'ascenseur viennent tout juste de sortir de l'édifice. Parce que Max veut arriver à New York avant qu'il ne fasse nuit, les deux voyageurs ne perdent pas de temps à table. De retour dans la voiture, Dora dit :

— Qu'est-ce qui se passe une fois à l'extérieur de l'édifice Old Port?

Une fois dehors, le pompier qui a accompagné P. jusque-là le remet à un policier. Ce dernier se tourne vers l'édifice et, entraînant P. à faire de même malgré lui, dit:

— On va attendre votre amie.

Son amie! P. n'aurait jamais rencontré cette voleuse de chapeau si on ne l'avait pas induit en erreur en prétendant que l'ouverture des portes de l'escalier allait déclencher une alarme. Il aurait tout simplement emprunté l'escalier jusqu'au rez-de-chaussée. Il serait, à l'heure qu'il est, en route vers son appartement, le chapeau sur les genoux.

Il imagine la réunion au cours de laquelle un directeur de sécurité a cavalièrement lancé: «Si l'on veut restreindre l'accès aux escaliers, on n'a qu'à y apposer un avertissement du genre: Attention, l'ouverture de ces portes déclenchera une alarme!» Ils ont dû en rire un coup avant d'accepter la malhonnête suggestion! Tout est beau derrière les portes closes. On discute d'escaliers et de salles de valises comme si de rien n'était. On invente des avertissements fictifs sans penser qu'un tel message peut mettre fin à la carrière d'un honnête homme. P. en a de plus en plus contre ce petit mensonge bureaucratique. Il avait du mal à rager contre un ascenseur défaillant, un engin mécanique sans conscience, mais maintenant qu'il peut mordre dans la malhonnêteté humaine, il s'en donne à cœur joie. Comment ont-ils pu être aussi insouciants? Irresponsables!

— La voilà, lâche le policier qui, d'un geste de la main, fait signe à son collègue de s'amener.

La femme renvoie le geste du policier en agitant le chapeau de Kafka dans les airs. Elle sourit de toutes ses dents telle une petite fille montrant un bulletin parfait à ses parents. Elle marche serrée contre le pompier, comme si ce dernier s'apprêtait à la donner en mariage. P. ne sait pas pourquoi cette image d'un père accompagnant sa fille le jour de son mariage lui est venue à l'esprit, mais, troublé, il secoue la tête comme pour l'effacer. Il est bien sûr trop tard. En moins de temps qu'il n'en faut pour dire «je t'aime», P. est tombé amoureux. Il secoue la tête une deuxième fois, mais rien n'y fait. L'idée de l'amour s'est glissée dans son cerveau tel un dossier qu'on range pour de bon parce qu'il s'agit d'une affaire classée.

C'est ridicule. P. ne peut même pas dire : je n'ai rien en commun avec cette femme car, pour ce faire, il faudrait qu'il la connaisse. Mais il ne sait rien d'elle. Il ne peut nier qu'elle soit jolie, mais l'attrait physique, à lui seul, ne peut expliquer cette passion soudaine. Alors qu'un policier le tient par la manche et que la femme qui lui a soutiré le chapeau qu'il a lui-même volé se dirige vers lui, P. sent monter en lui une sorte de frisson. Il ressent un pincement au cœur. Oui, il a réellement ressenti quelque chose. Une sensation inexplicable et si tangible qu'on utilise parfois l'expression «coup de foudre» pour la décrire. L'idée de l'amour, métamorphosée en une sensation physique, est devenue réelle pour P. Dès lors, il peut accepter son existence et, bien sûr, baliser sa portée, gérer son développement, planifier les étapes à venir. Alors que la femme dont il est devenu amoureux n'est plus qu'à quelques mètres de lui, P. combat la folle envie de sortir son calepin.

— Quelle histoire, s'exclame la femme !

— Nous allons devoir vous demander de bien vouloir nous accompagner au poste de police.

— Au poste de police ! crie P. malgré lui.

— Il s'agit d'une formalité, mais vous comprendrez que, dans les circonstances, nous ne pouvons passer outre au Règlement.

P., habituellement sensible aux exigences du Règlement, quel qu'il soit, trouve tout à coup que le Règlement est indûment contraignant. Que le policier aurait bien pu fermer les yeux et les laisser partir. Dans ce cas précis, et sans savoir exactement ce que dit le Règlement au sujet de deux personnes coincées dans un ascenseur malgré elles, P. trouve injuste l'application aveugle du Règlement. Car il ne faut pas s'en cacher, l'application trop sévère d'une règle, si juste soit-elle, peut mener à l'injustice.

Prenons le cas de P. Celui-ci ne demandait pas mieux que de suivre à la lettre les procédures et démarches administratives devant lui permettre de prendre possession du chapeau. Il était prêt à présenter tous les documents nécessaires, à répondre à toutes les questions, à se plier à toutes les exigences bureaucratiques lui permettant de mener à bien sa mission. C'est de bonne foi et dans un esprit de professionnalisme qu'il a accepté d'aller chercher le chapeau. Mais aux défaillances mécaniques d'un ascenseur se sont ajoutées les insolences d'un superviseur de firme spécialisée en gestion d'ascenseurs et le manque de rigueur des politiques en place. Aux défaillances cardiaques d'un garde de sécurité se sont ajoutées les mensongères exhortations des autorités en regard de l'utilisation des escaliers. Il ne s'agit pas ici de blâmer le caractère nécessairement imparfait de tout objet mécanique ou de se plaindre de la nature éphémère du corps humain. Tout bon gestionnaire doit pouvoir composer avec ces risques, inhérents à toute entreprise. Là où la procédure ne peut rien prévoir (les bris d'ascenseurs imprévus ou les limites du cœur humain), le jugement doit prendre le relais.

— C'est ma première visite à un poste de police new-yorkais ! Et vous ?

— Heu, oui, la première, de murmurer P.

Un policier ouvre la portière arrière de sa voiture et la femme, retirant le chapeau qu'elle avait remis sur sa tête, y pénètre telle une petite fille entrant dans le grenier interdit de sa grand-mère. Alors que P. s'apprête à la suivre, le policier referme la portière.

— On n'y va pas ensemble !

— Non, vous venez avec moi, répond le deuxième policier.

— Mais il y a de la place pour deux !

— Oui, mais puisque nous devons tous les deux retourner au poste de toute façon, c'est mieux comme ça.

— Mais...

La voiture dans laquelle s'est installée la jeune femme démarre au moment où P. allait pousser son objection. Voyant qu'il risque de la perdre de vue et, qui sait, de ne jamais récupérer le chapeau, P. emboîte le pas au policier et s'installe à son tour sur la banquette arrière de la voiture de police. De son siège, il peut suivre du regard la voiture de la femme grâce aux gyrophares de la voiture du premier policier. De temps en temps, la première voiture accélère, tourne à gauche, tourne à droite. Pendant quelques secondes, P. la perd de vue. Il devient alors très tendu jusqu'à ce que son propre policier rattrape son collègue. Pour une raison qu'il ne comprend pas, le gyrophare de sa propre voiture n'est pas allumé. Est-ce que cela fait partie du protocole normal ou son policier a-t-il oublié de l'allumer ? P. ne le sait pas mais, poussant l'analyse un peu plus loin, il en vient à se demander s'il y a une différence de statut entre lui et la femme. Soudain, son policier ralentit et monte sur le trottoir pour laisser passer deux autres voitures de police aux gyrophares tourbillonnants.

Quelques secondes plus tard, lorsque son policier a rattrapé ses collègues, P. constate avec effroi qu'il ne sait pas laquelle des trois voitures renferme son chapeau et la femme qu'il aime. Tels des enfants jouant à saute-mouton, les trois premières voitures changent constamment de position et si parfois P. croit voir le chapeau de Kafka

tourbillonner sur le doigt de la femme, il le perd de nouveau de vue à la prochaine intersection. Il abandonne alors
l'idée de suivre la progression du chapeau, se laisse choir
sur la banquette et sort son calepin.

P. s'apprête à tourner la page lorsqu'il lit: Opération
cadavre. Il regarde le policier, comme si ce dernier pouvait
entendre ce qu'il vient de lire. Il referme le calepin en
même temps qu'il ferme les yeux. Dans quelques minutes,
il arrivera au poste de police. Les policiers lui poseront
toutes sortes de questions et, qui sait, lui demanderont
peut-être de vider ses poches. Et que trouveront-ils? Un
calepin dans lequel P. explore différentes façons de se
débarrasser d'un cadavre. Rien de moins. N'importe quel
homme raisonnable y verrait la preuve de sa culpabilité.
Preuve qui ne serait démentie qu'une fois l'autopsie terminée. Une fois le mal fait et sa carrière ruinée.

Si au moins il avait utilisé son calepin à la manière d'un
journal intime! Il aurait pu y consigner «tout» ce qui s'est
passé et y noter ses impressions et ses réflexions en même
temps qu'il y décrivait les gestes posés ou les stratégies
envisagées. Du bris de l'ascenseur à la découverte du
cadavre, en passant par le raisonnement lui ayant permis
de conclure qu'il devait cacher le corps du vieillard. Un
policier pour le moins honnête aurait bien compris la
situation. Au pire, P. aurait été accusé d'avoir manqué de
jugement en cachant le garde de sécurité dans un sac de
hockey. Or l'information parcellaire qui s'y trouve présentement joue contre lui.

Une pensée effroyable lui vient alors. Jusqu'à présent, il a
cru à l'hypothèse de la mort naturelle. En effet, il n'avait aucune raison de penser que le pauvre homme soit mort de
manière violente. Et même dans l'éventualité d'une accusa-
tion de meurtre, il postulait que l'autopsie conclurait à un
infarctus ou à une rupture d'anévrisme. P. serait alors relâché.

Il trouve maintenant irresponsable d'avoir rejeté l'hypothèse du meurtre. Et si le garde de sécurité avait été étranglé par un gredin voulant mettre la main sur une valise qui ne lui appartenait pas ou pour laquelle il n'avait pas le ticket approprié ? Et si un collègue sans scrupules avait tout simplement assassiné le vieillard dans le but de faire avancer sa propre carrière de garde de sécurité ? P. ne connaît rien de l'univers des gardes de sécurité, mais il présume que, comme pour tout autre métier, il doit engendrer son lot de jalousie et d'espoirs déçus, d'envie et de rancœur. Ou encore, et on voit pire dans les journaux, il se peut qu'un tueur en série se spécialisant dans le meurtre de sexagénaires soit responsable de la mort du pauvre homme.

— On y est !

P. sursaute. Il n'avait pas remarqué que la voiture s'était immobilisée et que le policier lui avait ouvert la portière. Il glisse son calepin dans la poche de sa veste, saisit son chapeau et le manuscrit, puis descend de la voiture. Aucun signe de la femme.

— Où est la... mon amie ?

— Elle doit déjà être à l'intérieur. Venez, ça ne devrait pas être bien long. Une simple formalité.

Une formalité ! À d'autres, se dit P. Il suit le policier et, chemin faisant, se demande comment il va faire pour se débarrasser de cette terrible pièce à conviction qu'est devenu son calepin. Il pourrait demander d'aller aux toilettes. Il jetterait alors le calepin dans la cuvette, chasserait l'eau et ils ne pourraient plus rien contre lui. Ou encore, il pourrait manger le document incriminant. Enfin, il pourrait tout simplement le laisser tomber dans la poubelle la plus près. Les policiers ne doivent pas fouiller leurs propres poubelles à chaque fois qu'un crime est commis !

Arrivé au fond d'un long couloir, le policier ouvre une porte et invite P. à passer le premier. P. entre. À l'exception d'un babillard sur lequel on a épinglé différents bouts de papiers et d'une fenêtre dont le store est baissé, la pièce n'est qu'un petit rectangle blanc dépourvu de mobilier. Aucune table, aucune chaise. À la limite, on pourrait penser qu'il s'agit d'un placard à balais, d'une minuscule salle de débarras ou d'un vestiaire, sauf qu'il n'y a aucun crochet à manteau, aucune tablette, aucun tiroir. Cette salle est tout à fait vide et P. ne sait trop à quoi elle peut servir.

— Je m'excuse de ne pouvoir vous offrir une chaise, dit le policier en refermant la porte.

La salle, qui paraissait déjà petite il y a quelques secondes à peine, devient minuscule une fois la porte refermée. P. et le policier sont debout, épaule à épaule et font face au store blanc. Ni l'un ni l'autre ne dit mot. P. voudrait pouvoir se déplacer sur sa droite, mais l'épaule qui ne touche pas à celle du policier touche au mur. Il pourrait reculer de quelques centimètres, mais cela ne changerait rien à la chose et, de plus, il risquerait de faire tomber le babillard.

— De toute façon, ça ne devrait pas être bien long.

— …

— Quelques minutes au plus, ajoute le policier.

— Qu'attendons-nous au juste ? demande P.

— C'est toujours la question, n'est-ce pas ?

— …

— Que mon collègue en ait terminé avec votre petite amie. Ils sont juste de l'autre côté.

— De l'autre côté de quoi !

— Du miroir, bien sûr.

P. comprend alors que la femme de l'ascenseur se trouve à quelques centimètres de lui, assise sans doute, face au policier qui l'a escortée jusqu'au poste de police. Il comprend aussi que ce store ne dissimule pas une fenêtre donnant sur l'extérieur, mais plutôt un miroir unidirectionnel grâce auquel les gens placés de ce côté peuvent épier ceux qui sont de l'autre côté sans que ceux-ci ne s'en aperçoivent. S'il levait le store, il la verrait sans qu'elle puisse le voir. Il y a sans doute une façon d'activer un système leur permettant d'entendre la déposition de la femme mais, de toute évidence, il n'est pas en fonction. P. prend une grande respiration et regarde vers le plafond, comme s'il était à la recherche d'un numéro de modèle d'ascenseur. Il n'y a rien d'écrit au plafond, mais P. est fier d'avoir quand même eu le réflexe de regarder dans cette direction. On ne sait jamais.

— Vous pouvez enlever votre chapeau et votre veste, lui dit alors le policier.

Tout comme plus tôt dans l'ascenseur, P. s'est mis à transpirer de façon marquée. Il retire son chapeau, mais ne peut ni le déposer ni l'accrocher nulle part. Il en place donc le rebord entre ses dents et, après avoir glissé l'enveloppe du manuscrit entre ses genoux, tente d'enlever sa veste. Chaque mouvement a comme conséquence un coup de coude au policier, un coup d'épaule dans le babillard ou un coup de tête dans le store blanc.

— Donnez-moi ça, dit le policier en prenant le chapeau de P.

P., dont la veste est à moitié enlevée, regarde son chapeau, puis le policier. Ce dernier sourit. Mais qu'ont-ils tous à vouloir mes chapeaux ? se demande P. Le policier se penche alors vers l'avant, tend le bras devant P. et tire sur la petite ficelle du store. Il lève de façon irrégulière, un côté à la fois. Le policier murmure quelques jurons au sujet de cet édifice de merde et explique à P. comment il doit faire remonter le store un tout petit peu à la fois, car la ficelle n'est pas de la bonne longueur. À chaque fois que P. a l'impression que le store va s'ouvrir complètement, il entend un déclic. Le policier fait alors baisser le store de plusieurs centimètres et recommence. Ainsi, pendant plusieurs secondes, P. regarde le store monter et redescendre, et, concomitamment, voit la femme apparaître et disparaître. Il aurait le goût de s'emparer du store et de le soulever d'un coup, mais il sait qu'un tel geste n'aiderait pas sa cause.

Lorsque le store est finalement levé complètement, P. voit la femme et le policier. Comme il s'y attendait, ils n'ont pas remarqué que le store est maintenant levé. La femme et l'inspecteur ne sont pas dans la position classique de l'interrogatoire. Ils sont, non pas face à face, de chaque côté d'une table, mais plutôt confortablement assis sur un canapé. Deux tasses de café et quelques petits biscuits reposent sur la table. Un carnet, fermé, gît sur les genoux du policier. La femme parle rapidement et gesticule d'une main cependant que l'autre caresse le chapeau, qu'elle a posé sur ses genoux tel un petit animal domestique affectueux. Elle sourit et, de temps en temps, elle et le policier éclatent de rire, prennent une gorgée de café et ça recommence. À tel point que le policier doit même lui tendre son mouchoir pour qu'elle essuie les larmes d'hilarité qui ont coulé le long de ses joues.

Que peut-elle bien raconter ? À quel point il a été facile de récupérer le chapeau volé quelques minutes plus tôt ? Comment elle a réussi à sauter dans l'ascenseur au moment même où se refermaient les portes ? Peut-être ont-ils éclaté de rire lorsqu'elle a ajouté que c'est P. qui a retenu les portes de l'ascenseur de façon à ce qu'elle puisse venir cueillir le chapeau tel un fruit qui n'attend que ça ? Après plusieurs minutes à les regarder parler de la sorte, à essayer de lire sur leurs lèvres sans succès, P. se tourne vers le policier :

— Pardon, monsieur l'agent, est-ce qu'il y aurait une toilette tout près ? Je ne me sens pas très bien.

— Bien sûr, de répondre le policier, j'aurais dû deviner qu'après tout ce temps passé dans l'ascenseur, la nature devait faire son œuvre. Je m'excuse ne pas vous l'avoir offert plus tôt. Suivez-moi.

Lorsqu'il ouvre la porte, le policier recule d'un pas et P. doit tourner la tête vers la droite pour éviter que l'omoplate du gaillard ne lui écrase le nez. Pendant un instant, les yeux tournés vers la fenêtre, coincé entre le policier et le mur, P. contemple la femme qu'il aime. Il s'imagine, main dans la main, déambulant le long de la rivière ou d'une artère achalandée, parlant de choses et d'autres, les têtes cherchant les épaules, riant de voir ceux qui ne rient pas, ne comprenant pas que le bonheur qui est le leur n'embrasse pas toute l'humanité. Marchant, marchant sans jamais arrêter. Allant de salles de cinéma en restaurants, de librairies en parcs publics, vivant au vu et au su de tous un bonheur parfait.

— Vous venez ?

Le policier fait signe à P. de sortir de la pièce, à la façon d'un maître qui demande à son chien de lui rapporter le bâton qu'il tient obstinément dans sa gueule. À quelques pas à peine de l'antichambre de la salle d'interrogatoire, le policier lui indique une porte. P. tourne la poignée lentement et, tel un homme qui a parié tout ce qu'il possède et s'en remet à la chance, pénètre dans les toilettes. Il referme la porte doucement avant même d'avoir trouvé l'interrupteur et, pendant quelques secondes, il se laisse envelopper par l'obscurité. Après une minute ou deux, il tâtonne à la recherche de l'interrupteur et allume.

P. s'approche du lavabo et place les mains sous le robinet. Après s'être éclaboussé le visage, il se regarde dans le miroir. Un inconnu le dévisage d'un air fatigué. Il est toujours sans cravate et ses yeux, rougis par la fatigue et l'angoisse, s'ouvrent et se referment à répétition. Un peu comme des yeux qui n'arrivent plus à se remémorer ce qu'ils ont vu. Ou des yeux qui en ont trop vu et tentent d'effacer les images qu'ils ont captées malgré eux. Des yeux qui n'en croient pas leurs yeux. Il cherche une serviette du regard et, n'en trouvant pas, il se laisse tomber sur la cuvette.

Sa main se dirige alors vers la pochette intérieure de sa veste pour en retirer le calepin, mais elle s'immobilise aussitôt et, au lieu de se glisser entre l'étoffe de sa veste et sa chemise blanche, elle oblique vers l'enveloppe jaune. P. en ressort le manuscrit, l'ouvre au hasard et commence à lire une nouvelle intitulée : « J'ai perdu mon Calvino ».

J'ai perdu mon Calvino

L'inspecteur me regarda dans les yeux et répéta ce que je venais de lui dire. En fait, il serait plus juste d'écrire : L'inspecteur me regarda dans les yeux et répéta ce que je venais de lui dire, en modifiant le pronom personnel, l'adjectif possessif et la personne du verbe : « Vous avez perdu votre Calvino. » Afin de m'assurer qu'il n'y a aucune ambiguïté dans l'affaire, je renversai à mon tour les termes de ce qui était devenu sa phrase et, me la réappropriant, confirmai : « C'est bien cela, j'ai perdu mon Calvino. » L'inspecteur, qui savait sans doute par expérience que l'on ne peut répéter inlassablement le même énoncé sans qu'il ne se vide de son sens, baissa les yeux et écrivit la phrase suivante dans son cahier : « L'individu prétend avoir perdu son Calvino. »

J'étais sidéré. Comment une phrase si simple, si descriptive, si dépourvue de matière à interprétation pouvait-elle passer, en l'espace de quelques instants seulement, du domaine de la certitude à celui de l'opinion ? Comment un homme de loi de bonne foi, dont le rôle n'est ni plus ni moins de rapporter les faits tels qu'ils lui sont présentés, pouvait-il se livrer à un tel exercice d'herméneutique ? Car il ne faudrait pas penser que l'erreur est sans conséquence : l'homme qui affirme une chose ne prétend rien.

Je le confrontai donc sur-le-champ. « Je m'excuse, M. l'inspecteur, mais je ne prétends pas avoir perdu mon Calvino, je l'ai bel et bien perdu. J'ose espérer que vous êtes en mesure d'apprécier la nuance. » L'inspecteur me regarda d'un air fatigué, se pencha de nouveau sur son cahier et se remit à l'écriture, s'assurant cette fois que je ne puisse pas voir ce qu'il écrivait. Après quelques secondes, il referma le cahier, leva les yeux, sourit légèrement et dit : « Veuillez me suivre. »

Une fois au bout du couloir, l'inspecteur ouvrit une porte et m'invita à entrer dans une petite salle. C'était une pièce carrée et austère avec une table et trois chaises. L'éclairage y était faible et les murs complètement blancs. La scène me rappela immédiatement ces films américains où les policiers corrompus malmènent les voyous qu'ils savent coupables. Je pensais à la sorte de questions que pourrait me poser un enquêteur cherchant à savoir où était passé mon Calvino quand j'entendis la porte se refermer derrière moi.

Un homme s'avança vers moi, déposa son veston sur l'une des trois chaises mais garda son chapeau, un de ces petits feutres ridicules que plus personne ne porte de nos jours. Sans même se présenter, il me demanda d'une voix monotone : « Quand avez-vous vu votre Calvino pour la dernière fois ? » Je me levai et tendis la main mais, alors même que j'allais me présenter, il m'interrompit en disant d'un air agacé : « Trêve de formalités, je suis un homme pressé, je sais qui vous êtes et pourquoi vous êtes

ici. Vous êtes la douzième personne à perdre un Calvino
cette semaine. Je n'ai donc pas de temps à perdre.» Il
répéta ensuite la même question. À vrai dire, il répéta les
mêmes mots, mais le ton avait changé. Sa question,
descriptive la première fois, laissait maintenant entendre
qu'il en avait marre des imbéciles incapables de veiller
sur leur Calvino; qu'il n'avait pas que ça à faire et que
son Calvino à lui était en lieu sûr : «Quand avez-vous vu
votre Calvino pour la dernière fois ?»

Bien que je l'eusse écouté jusqu'au bout, mon esprit
s'arrêta, peut-être à cause de mon intérêt pour les
chiffres, à cette phrase pour le moins surprenante : «Vous
êtes la douzième personne à perdre un Calvino cette
semaine.» Que, de par le monde, en une journée, plusieurs personnes perdent ou se fassent voler le livre qu'ils
sont en train de lire, voilà qui est, d'un point de vue
théorique, plus que probable et, d'un point de vue
statistique, facilement démontrable. J'ai moi-même, au
fil des ans, perdu plusieurs bouquins. Entre ceux que je
me suis fait voler; ceux que j'ai égarés; ceux que j'ai
détruits accidentellement; ceux que j'ai prêtés et qui ne
me sont jamais revenus; ceux que j'ai dû abandonner
chez d'anciennes copines; ceux que ma mère a jetés
parce qu'elle les jugeait immoraux et ce Calvino, je puis
affirmer que ce nombre se situe entre quarante et
soixante.

Évidemment, ce que je viens de dire n'a aucune valeur scientifique. Si j'avais à évaluer les pertes annuelles
en Calvino, je m'en remettrais à des méthodes de collecte
de données reconnues, non pas à des anecdotes per-
sonnelles. Par exemple, il faudrait déterminer, dans un
premier temps, combien de Calvino sont en circulation
de par le monde. Les maisons d'édition se sont, par le
passé, toujours prêtées à ce genre d'enquête et rien ne me

permet de douter qu'il en serait autrement pour Calvino. Deuxièmement, il serait utile de répartir ces Calvino par pays ou, selon le cas, par composante régionale, et de calculer le taux de croissance de son œuvre. Ensuite, on pourrait procéder par voie de sondage auprès des propriétaires de Calvino pour évaluer les pertes déclarées. Ces données pourraient ensuite être comparées aux rapports des différents postes de police, ces derniers représentant ni plus ni moins la liste officielle des pertes de Calvino enregistrées annuellement. Une telle étude, selon moi, permettrait non seulement de donner l'heure juste en ce qui a trait aux pertes réelles de Calvino, mais pourrait éventuellement mener à l'adoption de mesures législatives ayant pour but de mettre un terme à une situation devenue inacceptable.

Une fois ce scénario complété dans mon esprit, je me rappelai comment j'en étais venu à l'élaborer et repris, pour ainsi dire, le fil de mes pensées : « Vous êtes la douzième personne à perdre un Calvino cette semaine. » Qu'un homme perde une quarantaine de livres au cours de sa vie, soit, mais que douze personnes, dans une ville d'un peu moins de trois cent mille habitants perdent, en l'espace de quelques jours, un livre écrit par le même auteur, voilà qui dépasse l'entendement. Alors qu'une partie de mon cerveau était occupée à formuler la réponse à la question de l'homme penché sur moi, une autre partie de ce même cerveau tentait maintenant d'expliquer ce que nous nommons, dans notre profession, « une anomalie statistique ».

Comment expliquer un si grand nombre de Calvino perdus ? Habitué à ce genre d'exercice, je me mis à émettre des hypothèses de travail. Une conférence sur l'œuvre de Calvino à l'université ? J'en aurais été mis au courant, car tous mes collègues connaissent mon intérêt

pour cet auteur. Un film basé sur un texte de Calvino qui
aurait mené à un engouement pour l'œuvre du romancier
italien et fait en sorte que tout un chacun se promène avec
un de ses livres à la main ? Encore là, je lis le journal
quotidiennement et une telle information n'aurait pu
m'échapper. J'en étais à formuler une troisième hypothèse
quand un poing s'abattit violemment sur la table : « Quand
avez-vous vu votre Calvino pour la dernière fois ? »

Instinctivement, je reculai de quelques centimètres
sur ma chaise. Je notai également que cette même question prenait, en l'espace de quelques secondes seulement,
un troisième sens. La froideur de la première version et la
condescendance de la deuxième avaient été remplacées
par une inquiétante violence verbale. Étonné par la
tournure des événements et la brutalité de cette question,
je décidai de répondre du tac au tac, sans toutefois aller
au delà des paramètres de la question : « J'ai vu mon
Calvino pour la dernière fois, il y a trois jours, soit le
12 avril 2007, à 21 h 55. »

J'étais bien conscient du fait que sa question, même
si elle ne touchait qu'un aspect précis de la disparition de
mon Calvino (l'aspect temporel) « visait » une réponse
plus large. Elle sous-tendait toutes sortes de questionne-
ments qui, bien qu'implicites, auraient dû me mener à
contextualiser la disparition du livre en question et à
créer des relations de cause à effet entre différentes
propositions. L'heure précise de la disparition du livre, à
bien y réfléchir, n'apportait rien à l'enquête. Mais, me
dis-je, si cet homme est incapable de faire preuve de tact
avec d'innocentes victimes, je ne vois pas pourquoi je lui
faciliterais la tâche en allant plus loin que les faits.

Même si je m'attendais à ce qu'il m'accuse de
vouloir jouer les petits malins, il se redressa lentement et
me dit d'un air ravi : « Je vois que vous avez décidé de

coopérer. » « Coopérer ! » répétai-je incrédule. « Mais que se passe-t-il ici ? J'ai perdu un livre et bien que ce ne soit pas, je le concède, la fin du monde, j'ai cru bon de rapporter la chose par civisme et afin de ne pas fausser les statistiques annuelles sur les objets perdus. » L'homme (on se serait cru en 1940) alluma une cigarette et ouvrit un porte-documents. Il le consulta pendant quelques secondes et, le refermant de façon nonchalante, me lança la phrase suivante : « Nous ne croyons pas un mot de votre histoire, monsieur Martin. »

P. referme le manuscrit. Pendant de longues minutes, il reste sur la cuvette, sans bouger, décontenancé par le caractère à la fois irréel et terriblement pertinent de cette nouvelle. Pourquoi prend-il le temps de lire des extraits de ce manuscrit ? Il se sent de plus en plus lié à ces petites histoires de rien. Lui qui a toujours dénigré les gens qui perdaient leur temps à lire de la fiction. Il se sent tout à coup interpellé par ces textes étranges qui, à première vue, ne riment à rien mais qui, petit à petit, modifient sa façon d'aborder les choses. Ces histoires ne parlent pas de lui mais, lui semble-t-il maintenant, elles mettent une distance entre lui et le monde.

— Ça va, lui lance le policier ?
— Oui, un instant.

P. doit se débarrasser du calepin. Il doit aussi trouver une façon de sortir du poste de police, de s'emparer de ses deux chapeaux et de rentrer chez lui. Une fois arrivé à la maison, il n'y aura pas de temps à perdre. Il faudra qu'il fasse ses bagages et qu'il quitte la ville. Il pourrait, bien sûr, louer une chambre minable dans la Basse-Ville, mais l'idée de vivre dans ce quartier ne lui dit rien de bon. Tout compte fait, mieux vaut partir et négocier les termes de la rançon à distance. P. étant d'un naturel économe, son compte en banque est relativement bien garni. Il prendra une douche, mangera un sandwich, fera ses bagages et, dans quelques heures, il sera à bord du premier train venu.

Au préalable, il aura retiré toutes ses économies de la banque. P. sait qu'il a exactement 3 455,14 $ dans son compte. S'il gère son pécule de façon efficace et intelligente, il pourra vivre sans souci pendant plusieurs semaines. Il pourra ainsi prendre son temps, trouver une chambre dans une petite ville universitaire et prétendre qu'il donne des cours de comptabilité à l'université locale. Il pourrait aussi inventer une histoire plus difficile à vérifier : il rédige une thèse et a choisi de s'exiler de façon à avoir la paix, par exemple. Ou encore : il est écrivain et veut mettre la touche finale à son dernier livre. Un livre de chapeau et de fantômes d'écrivains morts. Un livre au dénouement tragique.

De toute façon, il ne peut tout simplement pas retourner dans le Midwest, car quelqu'un le reconnaîtrait. Le patron offrirait sans doute une généreuse rançon pour sa capture et il ne manquerait pas de ses anciennes connaissances pour le livrer à la police car, dans ce pays, l'argent est la valeur ultime et, à ce titre, il déloge facilement l'amitié.

— Ça va ? lance le policier de l'autre côté de la porte.

— Oui, un instant, j'arrive.

P. sort son calepin et scrute la pièce. Les options sont peu nombreuses : la poubelle, le lavabo et la cuvette. Et son estomac, bien sûr. Il pense que l'idéal serait de brûler la preuve à conviction mais, dans une pièce si petite, on devinerait rapidement qu'il a allumé un feu. De plus, P. ne fume pas. Il n'a ni briquet ni allumettes sur lui. S'il opte pour la poubelle, il doit déchiqueter le carnet. Mais même déchiquetées, les pages pourraient être reconstituées par un policier prêt à y mettre le temps nécessaire. De plus, ses empreintes digitales seraient peut-être encore « lisibles. » Il pourrait bien sûr en déchiqueter la moitié et avaler l'autre moitié, de façon à ce que la reconstitution du carnet ne soit pas concluante. Mais P. ne se sent pas particulièrement bien. Il préfère ne pas ingérer de papier. Il pourrait le régurgiter avant même que ses acides gastriques aient réussi à effacer les phrases accablantes qui s'y trouvent. Reste le lavabo ou la cuvette. Alors qu'il pèse le pour et le contre de ces deux options, le policier cogne à la porte.

— Allez, il faut y aller. Votre amie vous attend, insiste le policier.

La femme de l'ascenseur a terminé sa déposition. P. se lève d'un bond, soulève la lunette et y jette son calepin.

— J'arrive !

P. chasse l'eau et attend. La cuvette semble se remplir normalement. Il attend encore quelques secondes et, horreur, il voit qu'elle déborde et que l'eau se répand sur le plancher. Il voit aussi son calepin revenir de son court séjour dans les canalisations du poste de police. P. enlève sa veste d'un geste rapide, relève sa manche de chemise et plonge le bras dans la cuvette. Il s'empare du calepin. Alors qu'il s'apprête à passer au scénario «lavabo,» il entend le bruit d'une clé dans la serrure. Il glisse le calepin imbibé dans la poche de sa veste et lorsque le policier ouvre la porte, P. est en train de rabaisser la lunette.

Le policier voit immédiatement l'eau par terre et se tourne vers P. Ce dernier se dit que le policier va comprendre tout de suite qu'il a essayé de se débarrasser d'une pièce à conviction. Il va lui mettre les menottes en un tour de main et le conduire à la salle d'interrogatoire *manu militari*. Une fois dans la salle, il va être fouillé et on va trouver le calepin. Si P. est chanceux, l'encre aura coulé et les pages seront illisibles mais, bien sûr, les policiers lui demanderont tout de même pourquoi il a tenté de jeter son calepin dans la toilette.

— Pauvre vous, cette toilette de malheur vous a fait le coup ! Ne vous en faites pas, ça arrive souvent. Venez.

Les deux hommes passent devant la pièce où, quelques minutes plus tôt, la femme et le premier policier échangeaient des anecdotes amusantes et se gavaient de biscuits. La pièce est vide.

— Vous ne prenez pas ma déposition ?

— Ce ne sera pas nécessaire. Votre amie nous a donné tous les détails dont nous avions besoin. Mon collègue va vous raccompagner.

P. n'en croit pas ses oreilles. Ils vont les laisser partir ! Dehors, la femme lui sourit et l'invite à monter à bord de la voiture de police. P. se penche et, au moment même où il met le pied dans la voiture, le policier lui crie :

— Attendez !

P. se fige et regarde la femme. Il semble vouloir lui signifier qu'il l'aime mais que, malheureusement, le destin ne fait pas toujours bien les choses ; que le policier s'est aperçu de quelque chose ; qu'ils vont l'emmener… Bref, ce même scénario noir que P. imagine à chaque fois qu'il se sent libéré.

— Vous avez oublié votre chapeau !

P. se retourne et, un pied sur le ciment et l'autre dans la voiture, entre la liberté et l'oppression, entre hier et demain, il prend son chapeau comme s'il s'agissait d'un cadeau venu du ciel. Une fois à l'intérieur, le policier demande à ses deux passagers :

— Où puis-je vous déposer ?

La femme regarde P. dans les yeux et, s'adressant au policier, dit :

— Ma voiture est à quelques pas de l'édifice Old Port, si ça ne vous dérange pas.

— Pas de problème. Et monsieur ?

— Monsieur est avec moi, répond la femme qui, simultanément, remet le chapeau de Kafka à P.

Comme Max a arrêté son récit, Dora lui demande :

— Et ensuite ?

Ensuite, lui répond Max, c'est une autre histoire qui commence. L'histoire d'un homme et d'une femme qui apprennent à se connaître sur les routes de l'Amérique. C'est aussi l'histoire d'une rencontre improbable mais catastrophique entre réalité et fiction. Mais pour terminer l'épisode new-yorkais de cette histoire, disons que P. et la femme de l'ascenseur ne disent rien cependant que le policier les accompagne jusqu'au port.

P. regarde défiler les gens et les vitrines. Il se dit que le pire est passé. Il a récupéré son chapeau. Il est sorti vivant de l'édifice « de malheur », comme il a pris l'habitude de le nommer. Il a aussi réussi à sortir du poste de police indemne. Dans quelques minutes, le policier va lui ouvrir la portière et lui souhaiter une bonne journée.

— Nous y sommes.

P. regarde la femme. Elle sourit. Son idée a beau être faite et son plan arrêté, il sent que la présence de cette femme menace le succès de l'opération. Elle a beau lui avoir redonné le chapeau, il sent qu'elle tient encore et toujours une partie de lui. Qui sait, il lui doit peut-être sa liberté. Sans elle, c'est sa déposition à lui que les policiers auraient prise. Que lui auraient-ils demandé ? Que faisiez-vous dans l'ascenseur ? Avec qui aviez-vous rendez-vous dans l'édifice ? Pourquoi avez-vous deux chapeaux ? P. aurait peut-être craqué. Il aurait peut-être révélé, sans le vouloir, un fait qui, pour un policier expérimenté, aurait pu s'avérer crucial. Il aurait pu s'échapper et parler de la salle des valises ou du feu de la salle des chapeaux. Si une telle salle existe ! Oui, plus il y pense, plus il se dit que cette femme lui a sauvé la vie, qu'il lui doit tout.

P. et la femme marchent côte à côte pendant quelques instants. Le trottoir est bondé, la rue, pleine de badauds. À quelques pas de l'endroit où la femme a garé sa voiture plus tôt ce matin, P. remarque deux hommes sur un banc public. Des jumeaux habillés de manière identique et qui, comble du ridicule pour des hommes d'âge mûr, lisent deux livres identiques.

— Je peux vous déposer quelque part ?

— Heu..., je ne sais pas. Je crois que...

— Vous m'avez menti, n'est-ce pas ?

— Menti ?

— Dans l'ascenseur.

— Dans l'ascenseur ?

— Ce n'est pas la première fois que vous restez pris dans un ascenseur.

— Je...

— Ça va. Ce n'est rien, je comprends.

— C'est que, voyez-vous, j'ai eu une journée assez éprouvante.

Chapitre 3

L'homme au volant de la berline américaine ne peut avoir plus de quarante ans. Quoique sobrement vêtu, on le sent mal à l'aise dans les vêtements conventionnels qu'il a choisis pour le voyage : veston noir, chemise blanche, cravate foncée. La voiture a beau être spacieuse, de temps en temps, entre deux manœuvres de conduite, sa tête heurte le plafond et son chapeau, petit et rond, descend sur ses yeux ou sur l'une ou l'autre de ses oreilles. Il le remet alors à sa place d'un geste précis et rapide. Noirs et vifs, ses yeux de petit rongeur traqué vont inlassablement de la route au rétroviseur. De temps en temps, il regarde derrière son épaule gauche. Il conduit sans mot dire.

En fait, les deux autres passagers, plus volubiles, ne lui laissent guère de temps de parole. Confortablement installés sur la banquette arrière, ils discutent de choses et d'autres. Avant de quitter New York, au moment de décider qui des trois conduirait, l'homme au chapeau avait lancé à la blague qu'il serait honoré de jouer au chauffeur pour de si grands personnages et avait ajouté que, de toute façon, il portait déjà l'uniforme de circonstance. Au moment de partir, il a ouvert la portière et a invité ses compagnons à prendre place dans la voiture de luxe louée pour l'occasion. Alors que ces derniers passaient devant lui, il a touché son chapeau du bout des doigts et s'est penché légèrement vers l'avant, en signe de déférence envers ses illustres clients. Tous les trois sont écrivains de profession.

Assis derrière le chauffeur, un homme petit et âgé joue avec une canne de bois, qu'il tourne et retourne dans ses vieilles mains osseuses. Il s'agit ni plus ni moins d'une vieille branche tordue et intemporelle ayant sans doute appartenu à son père. La tête du vieillard ressemble à une planète aux richesses insoupçonnées et aux contours imprécis. Les cheveux que le Temps n'a pas réussi à faucher, luisants et peignés avec soin, ondulent majestueusement vers l'arrière de sa tête avant de se jeter sur sa nuque, à la manière de ces chutes époustouflantes que l'on retrouve dans certaines contrées amazoniennes. Penché quelque peu vers la droite, il écoute son compagnon de voyage, les yeux fermés. Il est aveugle.

Le troisième et dernier passager, plus grand et plus jeune que l'aveugle, plus âgé que le « chauffeur », porte des vêtements élégants et des souliers de cuir fin. Avant de s'asseoir, il a déposé un chapeau de type panama sur le siège immédiatement à la droite du chauffeur. Siège qui, comme nous le savons, est libre. Son regard pénétrant, que l'on pourrait qualifier d'intelligent, se porte tantôt sur l'un de ses copassagers, tantôt sur l'extérieur de la voiture. Il fait tourner une plume entre ses longs doigts agiles et semble à l'affût de tout geste, de toute phrase, de tout objet susceptibles de se retrouver, sous forme de description imagée, dans le carnet de notes ouvert sur ses genoux. Il est Italien.

Les trois personnages ont quitté New York il y a de cela quelques heures en direction de Montréal, où les attendent organisateurs et congressistes d'un colloque international ayant pour thème : L'écrivain comme personnage. Le chauffeur au chapeau, l'aveugle et l'Italien sont les invités d'honneur du colloque et, tour à tour, ils élaboreront leur conception du rapport écrivain/personnage. Ils se partageront la scène pour la cérémonie d'ouverture, rencontreront les médias, discuteront avec des écrivains venus de tous les continents et, trois jours durant, seront traités comme des rois. Il se pourrait même que le premier ministre, pourtant peu enclin à côtoyer les artistes, daigne les rencontrer privément.

L'aveugle a préparé un discours dense, parfois hermétique, où il parle du caractère infini de l'imaginaire et postule qu'il n'existe aucune différence de fond entre l'écrivain et le personnage. Il racontera l'histoire de cet écrivain ayant rencontré au hasard d'une nouvelle, par lui écrite, un lui-même plus âgé sur un banc public. Fidèle à sa méthode d'argumentation, cette histoire inventée deviendra pour lui la preuve irréfutable de son propos. Il se pourrait aussi qu'il cite quelques auteurs fictifs aux noms imprononçables, mais dont l'autorité ne saurait être mise en doute par ceux et celles qui l'adulent depuis tant d'années.

L'Italien, quant à lui, fera la genèse de l'intertextualité depuis Homère et analysera la problématique écrivain/personnage à partir de cette technique littéraire. Il fournira une liste exhaustive de romans et de nouvelles où des écrivains apparaissent dans leur propre création ou dans celle d'autrui. Se dégagera de cette analyse, à la fois érudite et amusante, une conception pour le moins séduisante de la littérature où imagination (lire : personnage) et réalité (lire : écrivain) travaillent main dans la main à l'édification de l'œuvre, mot qu'il prononce toujours non sans une certaine émotion.

Le chauffeur au chapeau, quant à lui, ne sait pas encore ce qu'il va dire. Pour l'instant, sa seule préoccupation est d'arriver à Montréal.

Présentement, l'Italien dit à ses deux compagnons de route :

— Si l'on fixe son regard droit devant soi sans suivre des yeux l'apparent mouvement des choses, les arbres prennent la forme d'un rideau ininterrompu dont on ne voit ni commencement ni fin. Il est à peu près impossible de discerner les arbres de la forêt. L'observateur même le plus perspicace, qui ne saurait pas que ce rideau est composé d'arbres, ne pourrait jamais le deviner à partir de la seule observation, si pointue soit-elle. C'est comme si l'arbre individuel n'avait ni commencement ni fin. À proprement parler, l'arbre n'existe pas selon la perspective qui est présentement la nôtre. Seule la forêt est observable.

— Tu crois que tout est question de perspective ! s'exclame l'aveugle. Tu ne changeras jamais, Italien têtu que tu es.

— Il ne s'agit pas de perspective, mais plutôt de notre rapport à l'espace-temps. C'est la vitesse qui atténue la particularité de l'arbre, pas la perspective. On pourrait même dire que la vitesse rend l'arbre au principe noble et universel de la forêt, sans laquelle son existence est aussi banale que ridicule. L'arbre, tout comme l'être humain, ne rime à rien sans la présence rassurante et abondante de ses semblables. Si notre bon chauffeur pouvait aller plus vite encore, c'est la forêt entière qui disparaîtrait, et ce, sans que nous n'ayons changé de perspective. S'il devait faire fi des principes de physique élémentaires et pousser la voiture jusqu'à des vitesses à ce jour inimaginables, c'est l'horizon tout entier qui disparaîtrait.

— Et pourquoi pas l'univers ?

— En effet, pourquoi pas l'univers ?

L'Italien dit alors au chauffeur :

— Je t'avais dit de louer une Lamborghini et non un de ces ridicules tanks américains ! À bord de ce radeau, nous n'avons aucune chance de mener à terme l'expérience suggérée par notre ami.

Le chauffeur ajuste son chapeau et sourit. Il se dit qu'ils pensent toujours trop grand ou trop petit. Pour eux, la vie n'a de sens que dans la mesure où ils réussissent soit à la disséquer en parties observables toujours plus petites, soit à la rattacher à des principes dits universels toujours plus grands. La vie est ici, dans le détail foisonnant de l'expérience, dans le vécu imprévisible et incompréhensible.

Le chauffeur regarde alors par-dessus son épaule de façon à pouvoir changer de voie. La circulation étant intense, et les automobilistes peu enclins à céder ne serait-ce qu'un centimètre de ce qu'ils considèrent leur espace vital, il doit tenter la manœuvre à plusieurs reprises avant de pouvoir enfin accéder à la voie de gauche. Une fois dans cette voie, et roulant à vive allure, il ajuste son chapeau d'une main tremblante. Une goutte de sueur s'est formée sur sa lèvre supérieure.

— Ça me fait penser à cette histoire de frères jumeaux qui avaient des perspectives diamétralement opposées, dit l'aveugle. Vous la connaissez? Cela se passait il y a plusieurs années, dans un pays nordique…

— Un pays nordique! Qui l'eût cru? Eh bien, raconte-nous ça, lui dit l'Italien, le sourire aux lèvres.

— Oui, en Norvège, ajoute l'aveugle, souriant à son tour. Toujours est-il que ces deux frères, Irtha et Bingher, étaient nés un soir de pleine lune, un 22 janvier pour être plus précis. Ils étaient ce que l'on appelle des jumeaux monozygotes, c'est-à-dire sortis d'un même ovule fécondé par deux spermatozoïdes.

— Des jumeaux identiques, je présume.

— En effet, des jumeaux parfaitement identiques. Je vous épargne le détail de leur enfance, mais si ça vous intéresse, Karl Openstirboek a écrit une biographie fort intéressante à leur sujet qui, si ma mémoire m'est fidèle, s'intitule : *Irtha and Bingher, An Uncommon Destiny*.

— Je l'achète dès mon retour à Rome, dit l'Italien.

Les trois voyageurs partagent alors un moment de silence teinté d'ironie respectueuse envers les mots. Il s'agit de ce silence qu'aucun mot ne peut décrire car, justement, il fait l'éloge du non-dit que contiennent les mots. Ce silence nous rappelle que nous n'avons que les mots pour décrire le monde et l'inventer. Le reste n'est que détails.

Ces trois hommes n'ont jamais voyagé entre New York et Montréal dans une même voiture. Ils sont là pour nous rappeler que les mots peuvent faire des choses extraordinaires : inventer des mondes où morts et vivants se côtoient ; créer un personnage dont les traits font penser à un auteur, lui-même mi-homme, mi-personnage ; faire en sorte que se côtoient sur la page des écrivains ne s'étant jamais rencontrés dans la réalité. Ces trois hommes sont également réunis pour semer le doute dans l'esprit du lecteur, qui devra éventuellement décider du sens à donner à la dernière scène de cette histoire de chapeau et d'écrivains fantastiques.

Pour s'aider dans cette entreprise, le lecteur qui en a l'habitude devrait d'ailleurs sortir sur-le-champ le calepin dans lequel il note ses pensées car, dans quelques lignes, il sera peut-être trop tard. Il pourrait commencer une nouvelle page et écrire, tout en haut, en lettres majuscules « FINS POSSIBLES ». Il pourrait aussi, s'il croit pouvoir ainsi mieux structurer sa pensée, écrire les chiffres de 1 à 10 dans la marge de gauche. L'auteur lui laisse la liberté d'organiser ses pensées à sa guise et de déterminer les limites du possible et de l'impossible, du réel et du fantastique. S'il est vrai que l'auteur apprécierait une fin crédible à cette histoire d'un homme qui tente de récupérer un chapeau et de cet autre homme qui tente de rencontrer Paul Auster, il accepte cependant d'emblée toute conclusion, fût-elle loufoque, fantastique, voire érotique. Pour ce qui est de cette dernière option, cependant, l'auteur demande un minimum de retenue, car il n'a pas l'habitude de ce genre littéraire. Pour dire les choses clairement, il serait même quelque peu gêné que son nom y soit associé.

Quelques instants plus tard, l'aveugle reprend le fil de sa pensée.

— Irtha et Bingher, bien qu'issus d'un milieu modeste, fréquenteront tous les deux les plus grandes écoles d'Europe. Studieux, sérieux et ambitieux, ils termineront premiers de classe dans leur domaine respectif et enseigneront éventuellement au Massachusetts Institute of Technology. On ne sait trop comment la nature décide de ces choses mais, au delà des apparences, les deux frères étaient fort différents. Cette différence, voire cette « opposition », fut notée avec force détails et consignée dans le journal intime de leur voisine, une dénommée Atlerht, si je ne m'abuse. Mais j'oublie son prénom.

— Peu importe le prénom, c'est un nom qui lui va à merveille, ajoute l'Italien. Même si, tout comme Irtha et Bingher, il ne m'apparaît pas typiquement norvégien.

— Quoi qu'il en soit, nos jumeaux identiques étaient mus par ce que Atlerht appelle des « pulsions contraires », un terme peu scientifique certes, mais qui a l'avantage de décrire de façon précise nos deux protagonistes.

— Protagonistes ? Il ne s'agit pas d'un fait vécu ?

— Bien sûr, mais dès lors que l'on raconte une histoire, qu'elle soit issue du réel ou de l'imaginaire, ses acteurs — ou actants si vous préférez — deviennent des personnages. J'aurai l'occasion d'en parler demain soir. Bref, le premier, poussé vers l'extérieur et l'exploration des hauteurs, n'en finissait pas de grimper sur les tables, dans les arbres et, plus tard, sur le toit de l'église du village. Son frère, lui, préférait les profondeurs, l'exploration des cavernes de la région et la plongée sous-marine. Il allait lire au sous-sol pendant que son frère lisait au grenier.

— Parce qu'ils aimaient tous les deux la lecture, bien sûr.

— En effet, renchérit l'aveugle, ils adoraient la lecture. Leur grand-oncle, un érudit du nom de Fröberg, avait publié un important traité de philologie. Mais je m'égare. Pour revenir à nos moutons, vous aurez compris que l'un passera son enfance à explorer le fond des lacs de sa région pendant que son frère tentera d'aller toujours plus haut. Déçu sans doute par le caractère nécessairement fini des hauteurs terrestres, il passera de l'escalade à l'aviation avant de s'intéresser à l'exploration spatiale.

Irtha deviendra océanologue, Bingher, astronaute de premier rang. Ils auront de brillantes carrières, publieront des articles scientifiques dans les plus grandes revues, multiplieront les conférences. L'intérêt de leur histoire ne repose pas tant sur cet aspect antinomique de leurs personnalités que sur sa fin à la fois tragique et mystérieuse. Les jumeaux disparaissent le même jour, un 22 janvier, à l'âge de quarante-trois ans exactement. Irtha, à bord d'un sous-marin sondant les profondeurs océanes, Bingher, à bord d'un engin spatial en route vers la planète Mars. Même si l'on a pu ramener la navette spatiale sur terre et repêcher le sous-marin au large de Sumatra, quelques années plus tard, les corps des frères jumeaux n'ont jamais été retrouvés.

— Vous ne nous avez pas habitués à tant de symétrie, mon cher ami.

— Je ne fais que résumer cette histoire.

— Vous ne faites que résumer! Voyons, vous savez bien que si l'on donnait à cent personnes le même livre en leur demandant de le résumer en trois pages, il n'y aurait probablement pas deux phrases identiques sur ces trois cent pages.

— Je vous l'accorde, rétorque l'aveugle, car vous connaissez mon faible pour les charmes de l'infini. Cela dit, Openstirboek avance deux théories capables d'expliquer leur étrange disparition. La première, qu'il s'agit d'un pur hasard. Malgré des signes on ne peut plus convaincants d'une action préméditée, il est possible qu'il ne s'agisse que d'une incroyable coïncidence et que ni le libre-arbitre ni le destin n'ait eu à intervenir. La vie est ainsi faite. La deuxième explication séduira les êtres rationnels que vous êtes, surtout vous, mon jeune chauffeur. Selon cette hypothèse, arrivés au faîte de leur science, nos jumeaux auraient conclu à l'impossibilité de comprendre la totalité de leur champ d'étude respectif. Autrement dit, devant l'impossibilité pratique et théorique de donner un sens à l'objet de leur quête, ils auraient choisi d'en remettre en y ajoutant le mystère de leur disparition. Openstirboek postule que les jumeaux n'avaient pour objectif rien de moins que l'élaboration d'une équation capable d'expliquer toute la complexité de l'univers. Il ajoute même que leur désir le plus ardent était de pouvoir résumer cette complexité à une donnée, voire à un chiffre, qui, à lui seul, pourrait tout expliquer.

L'aveugle dirige alors ses yeux fermés en direction de l'Italien et lui demande ce qu'il en pense. L'Italien regarde les arbres défiler. Il leur reste environ quatre heures de route avant d'arriver à Montréal et il se réjouit d'avoir réussi à convaincre ses deux collègues de faire le trajet New York-Montréal en voiture. Il se prend même à rêver qu'ils n'atteindront jamais leur destination et seront condamnés à errer sur les routes de la Nouvelle-Angleterre, entre New York et Montréal, pour l'éternité.

— Eh bien, si vous voulez mon avis, je crois qu'il y a une troisième possibilité, dit l'Italien, mettant fin à sa propre rêverie.

— Je suis ravi de vous l'entendre dire.

— Selon moi, les deux scénarios que vous évoquez manquent d'imagination.

— Voilà une critique qui ne m'est pas adressée très souvent, réplique l'aveugle, feignant l'indignation.

— Non, vous ne manquez certes pas d'imagination. De toute façon, vous nous avez donné les impressions de Openstirboek, pas les vôtres. Ces « scénarios », dans la mesure où un scénario peut avoir des faiblesses, manquent d'imagination. Ils sont trop symétriques.

— Ah, je vois, dit l'aveugle.

— De toute façon, alors que vous racontiez cette histoire, je me suis rappelé avoir lu quelque chose au sujet de ces deux hommes.

— J'étais quelque peu étonné d'apprendre que vous ne les connaissiez pas. Ça me rassure, ajoute l'aveugle en touchant de la main le bras gauche de l'Italien.

— Non seulement je connais cette histoire, mais j'ai rencontré un homme qui se disait leur lointain cousin au Salon du livre de Paris, il y a de cela plusieurs années.

— À la bonne heure !

— Nous avons eu une discussion assez étrange et, maintenant que vous nous avez rappelé l'histoire des jumeaux, je me souviens parfaitement de notre conversation.

— La mémoire est une faculté des plus créatrices, ne croyez-vous pas ?

— En effet, des plus créatrices, dit l'Italien. Il m'a raconté une drôle d'histoire. Apparemment, quelques jours avant leur mort, alors qu'ils étaient en vacances à New York, les jumeaux ont décidé d'aller bouquiner, question de tuer le temps ensemble. Comme vous l'avez dit, mon cher ami, ils venaient d'un milieu humble où la littérature était omniprésente. Je serai moi-même en mesure de mieux apprécier cette époque de leur vie lorsque j'aurai lu le livre de monsieur Alpenbucher.

— Openstirboek, non pas Alpenbucher, corrige l'aveugle, tout sourire. Karl Openstirboek.

— Contrairement à vous, je n'ai vraiment pas la mémoire des noms. Toujours est-il qu'ils entrent dans une librairie, au hasard, et trouvent un bouquin intitulé : *Le chapeau de Kafka*.

— Il ne manquait plus que ça, claironne le chauffeur, sortant de son mutisme pour la première fois.

— Il ne reste que deux exemplaires du petit livre et les jumeaux décident de les prendre tous les deux. Ils marchent pendant quelque temps et trouvent un banc public à quelques pas de l'édifice des douanes.

— L'édifice Old Port ? demande le chauffeur.

— Oui, celui-là. Bref, les deux frères prennent place sur le banc public et commencent à lire le récit de cet employé pour le moins étrange qui, un jour, doit aller chercher un chapeau ayant apparemment appartenu à Franz Kafka. Je vous fais grâce de l'histoire invraisemblable du pauvre employé de la Stuff and Things Company et de ses multiples péripéties. Ce qui importe ici, c'est la fin tragique et mystérieuse de l'employé et de sa petite amie.

— Tragique, demande le chauffeur ?

— Oui, répond l'Italien, ils meurent ensemble dans un terrible accident de voiture, comme on en voit des milliers dans ce pays. Au sortir du poste de police, P., le personnage principal, décide de se confier à une femme qu'il ne connaît que depuis quelques heures. Elle comprend rapidement son désarroi et l'invite à venir avec elle au Vermont, où vivent ses parents. Ils quittent New York vers la fin de l'après-midi. Ce qu'il y a de mystérieux dans cette histoire cependant, et c'est là que le lien avec l'histoire de nos Norvégiens prend tout son sens, c'est que, contrairement aux dépositions d'une dizaine de témoins on ne peut plus crédibles affirmant que trois voitures étaient en cause, on ne retrouva que deux voitures impliquées dans l'accident.

Tout ça pour dire que *Le chapeau de Kafka*, où disparaissent trois écrivains sans laisser de trace, serait, selon le cousin des jumeaux, le dernier roman qu'ils aient lu avant de disparaître à leur tour.

Le chauffeur se tourne alors brusquement en direction de l'Italien pour lui poser une question mais, ce faisant, son chapeau tombe par terre, du côté du passager.

— Mon chapeau! dit le chauffeur.

— Je le vois, dit l'Italien.

— Ça va, ça va, ne vous en faites pas, répond le chauffeur.

L'Italien tente de s'emparer du chapeau, mais il ne peut le faire sans se détacher et avant qu'il ait pu défaire sa ceinture de sécurité, le chauffeur s'est penché vers l'avant pour s'emparer du chapeau. Au même moment, il heurte le levier des essuie-glaces, qui se mettent à danser furieusement devant ses yeux. Surpris par le réveil brutal de ces jumeaux de plastique et de caoutchouc, le chauffeur donne malgré lui un léger coup de volant vers la gauche. Absorbé par l'histoire de l'Italien, le chauffeur avait ralenti considérablement. À un point tel que la conductrice de la voiture qui suit la berline américaine depuis plusieurs kilomètres s'impatiente de plus en plus et n'attend que le bon moment pour doubler ce «radeau», pour reprendre l'expression de l'Italien.

Il n'y a que deux passagers à bord de la voiture qui suit la berline américaine des écrivains. Une femme, comme nous l'avons dit précédemment, et un petit homme sur les genoux duquel se trouvent deux chapeaux, insérés l'un dans l'autre, et une grosse enveloppe jaune. Le chauffeur de la berline américaine donne le fatidique coup de volant au moment même où la femme décide enfin de risquer la manœuvre sur sa gauche. N'eût été d'une troisième voiture, roulant en sens inverse, la femme aurait eu le temps de reprendre sa place derrière la berline américaine. Malheureusement, cette troisième voiture roulait à vive allure car ses occupants, un homme et une femme, voulaient absolument arriver à New York avant la tombée de la nuit.

Le lendemain matin, les carcasses calcinées des deux voitures fumaient toujours lorsqu'un enfant, attiré par la fumée, décida d'aller voir ce qui se passait à la limite du champ de la ferme familiale. Il sauta la clôture et atterrit sur une grosse enveloppe jaune. Il regarda à l'intérieur, puis la referma. Il se dirigea ensuite vers les décombres des voitures qu'on avait tassées le long de la voie. Après avoir inspecté les restes de métal et de chrome des deux voitures qui, sous l'impact, s'étaient plus ou moins fondues en une, il enjamba la clôture de nouveau. Sur le chemin du retour, il trouva un petit chapeau noir dans un fossé. Il le déposa sur sa tête, serra l'enveloppe jaune contre sa poitrine et rentra chez lui en sifflant.

Dans la même collection

DANGER

LE
PHOTOCOPILLAGE
TUE LE LIVRE

PROTÉGEONS
NOS FORÊTS

*Cet ouvrage
composé en Palatino corps 11,5 sur 14,5
a été achevé d'imprimer
en novembre deux mille huit
sur les presses de*

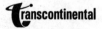

Imprimé au Canada par
Transcontinental Métrolitho